LE FAUCON

Marie Laberge

LE FAUCON

Théâtre

Boréal

Conception graphique: Gianni Caccia
Photos de l'intérieur et de la couverture:
© André Panneton, 1991

© Marie Laberge et Les Éditions du Boréal
Dépôt légal: 4e trimestre 1991
Bibliothèque nationale du Québec

Diffusion au Canada: Dimedia
Distribution en Europe: Les Éditions du Seuil

Données de catalogage avant publication (Canada)

Laberge, Marie, 1950-
Le faucon

ISBN 2-89052-438-8

I. Titre.

PS8573.A1688F38 1991   C842'.54   C91-096944-2
PS9573.A1688F38 1991
PQ3919.2.L32F38 1991

Le règlement concernant la chasse aux oiseaux stipule que la chasse au faucon pèlerin est interdite.

Chasser: pourchasser, poursuivre, harceler, traquer, suivre un animal, être à son affût, en suivre la piste, le piéger ou tenter de le faire, le tirer ou tenter de le faire, que l'animal soit ou non capturé, abattu ou blessé.

Loi du Québec

* * *

Quand le Faucon se voit pris, il ne donne aucun signe de colère ni de crainte. Il existe au désert un proverbe qu'on répète dans le malheur: «Thair-el-Hoor ila hasnel ma itkhbotchi»: «l'oiseau de race, quand il est pris, ne se tourmente plus.»

La Fauconnerie ancienne et moderne
Jean-Charles Chenu

À Paul-André
et à Annick.

À Québec
le 29 octobre 1991
   au théâtre du Trident
directeur artistique, Roland Lepage
dans une mise en scène de Gill Champagne
   assisté de Geneviève Lagacé
des décors et des costumes de Jean Hazel
des éclairages de Jean Crépeau
une musique de Robert Caux
une régie de John Applin

Distribution
Steve   Jules Philip
Aline   Denise Verville
André   Jack Robitaille

Le Faucon
de Marie Laberge
a fait l'objet d'une double création mondiale.

À Montréal
le 30 octobre 1991
à la Compagnie Jean Duceppe
    directeur artistique, Michel Dumont
dans une mise en scène de Marie Laberge
    assistée de Daniel Landry
des décors de Martin Ferland
des costumes de Anne Duceppe,
    assistée de Daniel Fortin
des éclairages de Luc Prairie
des accessoires de Normand Blais
et une musique de Jean Sauvageau.

Distribution
Steve   Antoine Durand
Aline   Nicole LeBlanc
André   Raymond Legault

Personnages

Steve

Il a 17 ans. Il est soupçonné d'avoir tué son beau-père. Très calme en apparence, il s'inquiète bien sûr. Il a en commun avec son père un charme terrible, attachant, magnétique. Il ne joue pas avec son charme, c'est un attribut naturel qu'il n'a pas à accentuer. Même s'il raisonne beaucoup, il n'est pas sûr de lui pour autant.

Aline Jobin – 51 ans

Comme elle l'avoue très rapidement, c'est une ancienne sœur. Ce qui ne la décrit quand même pas entièrement. Ne doit pas être une beauté, ou quelqu'un de particulièrement sexy. Elle a évacué de sa vie toute dimension de plaisir physique. Ce qui ne veut pas dire qu'elle a tout réglé!

André Mercier – 42 ans

Le vrai père. Bien mêlé et bien mal à l'aise dans ses souliers. Voudrait bien réussir son projet, mais est terriblement décontenancé par son fils. Ne pas le jouer trop gauche quand même: c'est un mélange de gaucherie, de volonté et d'appel à l'aide. C'est un homme qui ne sait pas parler de lui mais qui charme quand même, sans le vouloir, sans le savoir. Il ne sait pas grand-chose de lui-même.

Cette pièce se joue sans entracte.

Le décor

Le décor est composé d'un mur. Seulement un mur érigé au centre d'un plateau rond, de préférence. Ce mur pourrait être en briques et présenter des aspérités. S'il y a des ouvertures, elles doivent être très hautes, inatteignables en fait. C'est un mur haut et très solide. Il ne fait pas toute la largeur de la scène. Il en occupe les trois quarts. De chaque côté, il y a un espace libre, d'égale importance, de telle sorte que le mur se détache très bien dans l'espace.

Devant le mur: le sol propre et parfait, sans hiatus, sans anicroche, le sol vide de tout objet, de tout meuble, de toute poussière.

Nous sommes au printemps de 1989, dans ce lieu qui est probablement quelque part dans une maison dite d'accueil.

Au début, Steve est assis, presque recro-
quevillé, contre le mur. Il ne bouge pas.
La tête entre ses bras, il fait seulement
à l'occasion de petits bruits qui ressem-
blent à des: «Tsik, Tsiok», plus ou
moins amusés. On doit sentir dans son
attitude physique une capacité énorme
de «toffer» comme ça, en silence, sans
ennui, sans impatience.

La lumière passe doucement du gris au
noir.

* * *

Avant le retour de l'éclairage, on
entend le son des oiseaux. Les oiseaux
du matin qui se réveillent à un train
d'enfer. Ça se termine par le fameux
chant du pinson «Frédéric».

Quand l'éclairage monte, Steve se
promène le long du mur. Il semble se
livrer à un jeu très personnel, très
secret. Il fait trois pas mesurés, se colle
contre le mur, lève la tête et regarde le
bord très haut du mur. Il se laisse alors
couler contre lui, jusqu'à arriver à terre
où il se tasse, ramasse son corps pen-
dant un instant. Ensuite, il se relève et
recommence son manège. Quand le
son des oiseaux diminue, il se met à
marcher doucement le long du mur,

presque calme, en le flattant avec la main.

L'éclairage passe doucement au noir.

* * *

Steve est assis au centre, jambes repliées sous lui. Il ne fait rien. Il semble attendre.

On entend, venant de derrière le mur et plutôt de loin, des talons hauts sonores approcher.

Steve se tend, écoute. Il ne se déplace pas, il reste là, immobile, glacé, à entendre les pas qui approchent.

Aline Jobin arrive par le côté cour. Elle entre doucement et regarde Steve, sans rien dire.

Elle s'appuie contre la partie extérieure du mur, mains dans les poches de sa veste de laine duveteuse d'une couleur très douce. Elle s'appuie et regarde Steve qui fixe devant lui un point imaginaire qui semble devenu crucial.

Aline Jobin porte des talons hauts. Très hauts. On doit sentir qu'une grande partie de sa coquetterie passe par ses chaussures. L'autre partie est réservée aux lunettes: elle porte rarement les mêmes. Elle en change selon le jour, l'humeur, le degré de lumière. Elle peut même arriver avec des verres très fumés, c'est pas ça qui l'achalerait. Elle ne trimbale avec elle ni stylo, ni dos-

sier, ni papier, ni sac à main. En fait,
elle est à armes égales avec Steve.

Elle reste donc là, appuyée contre le
mur, à regarder Steve ne pas la regar-
der. Et elle attend, patiente, détermi-
née, avec un certain intérêt même.

Au bout d'un moment, Steve tourne la
tête et la regarde. Ils s'observent
mutuellement, se jaugent, s'examinent
franchement, sans aucune gêne,
aucune honte. Lentement, Aline
s'accroupit. Malgré ses talons hauts
(quand même pas des échasses!) elle se
tient là, à la même hauteur que Steve,
plutôt souriante mais pas bêtement
«gentille»: ce qu'elle voit lui plaît. Elle
attend encore un peu puis, sans brus-
quer le:

ALINE
Salut!

Steve continue de la fixer en silence,
puis il détourne son regard sans dire
un mot, sans sourire. L'éclairage des-
cend doucement.

* * *

Quand l'éclairage revient, les oiseaux
crient très fort comme s'ils tour-
noyaient dehors au-dessus du mur.
Une certaine tension se dégage.

Aline occupe le coin cour du mur (son
territoire!). Steve est en pleine action,
comme si elle n'était pas là: il est très

occupé à marcher en formant un Z à partir du mur. Il part du mur à l'extrémité jardin et marche en ligne droite et perpendiculaire au mur sur trois ou quatre pas, revient bruquement vers le mur en diagonale et repart comme une balle en ligne droite. Il fait et refait son manège de façon presque obsessionnelle, très préoccupé, très soucieux.

Aline le regarde faire. Quand il se met à accélérer, elle se dégage du mur, inquiète. On sent bien qu'elle est à deux doigts d'intervenir et qu'elle se retient.

Steve court à présent, il s'épuise littéralement. On le voit se précipiter sur le mur et presque rebondir à chaque fois qu'il le heurte. Il persiste dans sa course en allant de plus en plus vite, en fonçant franchement sur le mur. Il y met une énergie folle, farouche, une violence intense, comme s'il pouvait faire reculer ou même abattre le mur!

Aline est stupéfaite: il est trop tard pour intervenir. Elle regarde Steve se précipiter contre le mur de plus en plus vite et se tient debout, immobile, prête à stopper une tentative quelconque de se fracasser contre le mur.

Steve achève sa course dans un long cri (sorte de plainte plus sourde que libératrice) qui ne se terminera pas avant que l'éclairage ne soit baissé.

* * *

Quand l'éclairage revient, on doit sentir que dehors, il fait soleil: un temps splendide. Steve est seul, debout dos au public, face au mur.

On entend les talons d'Aline s'approcher. Steve se retourne brusquement et se dirige vers le côté jardin. Il se laisse couler contre le mur jusqu'à terre. Il est très près de l'extrémité jardin du mur.

Aline arrive. Elle porte un petit sac de papier qu'elle dépose par terre dans son secteur cour.

Elle regarde Steve: pas de signe d'intérêt de son côté à lui. Elle ouvre son sac, en sort deux cafés «pour sortir» et un petit emballage de biscuits. Elle retire le couvercle du café, en prend une gorgée. Elle regarde Steve.

Elle se lève, prend l'autre café, l'apporte jusqu'au milieu du mur, le dépose là, par terre, bien en vue. Steve la regarde faire en souriant. On peut se demander s'il ne rit pas d'elle. Elle retourne à sa place, s'assoit, ouvre le paquet de biscuits, en prend un, le mange en silence en fixant Steve.

Steve se lève, marche jusqu'à l'extrémité du mur côté jardin, l'air de regarder si personne ne vient, se retourne vers Aline, marche mains dans les poches, contourne le café et s'approche d'Aline qui le surveille, le biscuit en l'air. Il s'arrête, la fixe.

*Elle dépose son biscuit et pousse osten-
siblement l'emballage vers lui. Steve
repart, apparemment indifférent.*

*Il marche encore, rasant de peu le café,
puis d'un pied distrait mais volontaire,
il écrase le paquet de biscuits sans
même s'arrêter, comme par accident.
Une fois cela fait, il continue sa marche en sifflotant.*

*Aline éclate de rire. Elle ramasse dou-
cement les restes de biscuits, le café,
remet le tout dans le sac en disant au
dos de Steve:*

ALINE
O.K., O.K., Steve, la prochaine fois j't'apporterai
des peanuts.

* * *

*Il pleut. On entend la pluie forte et
dense tomber sans arrêt. Steve est
couché le long du mur.*

*Il fait remonter sa main le long de la
brique jusqu'au plus haut point qu'il
peut atteindre sans avoir à se relever et
la laisse ensuite tomber. Il recommence
tout de suite après.*

On entend Aline arriver.

Steve se redresse, regarde côté cour.

*Aline arrive en essuyant ses lunettes.
Elle s'arrête, finit d'essuyer ses lunettes,
les met et sourit à Steve qu'elle semble
enfin voir.*

Steve lui sourit.

Aline avance un peu, près du mur, elle gagne un peu de terrain puis s'assoit.

Steve se lève, s'appuie au mur et la fixe.

STEVE
C'tu vrai qu't'es t'une ancienne sœur? Une pisseuse?

Aline ne bouge pas. Elle ne semble pas très affectée.

ALINE
Ouais... ça s'peut.

STEVE
Ça s'peut ou ben c'est vrai?

ALINE
C'est vrai, pis?

STEVE
Pis rien!

Il se dégage et marche en la regardant. Elle l'observe en souriant.

STEVE
T'as pas l'air d'une pisseuse.

ALINE
T'as pas l'air d'un tueur.

Steve s'arrête net et la regarde, furieux. Elle sourit l'air de dire: «T'as com-

mencé l'premier, mon p'tit gars!» Il se
rassoit, dépité.

STEVE
Tu devrais apprendre à fumer, tu ferais moins
sœur.

Aline se lève doucement. Il la regarde,
presque épeuré de la voir partir si vite.

ALINE
Quelle sorte?

Steve part à rire, ravi, et lance un
«wow!» enthousiaste. L'éclairage passe
au noir rapidement.

* * *

Quand l'éclairage revient, ils sont côte
à côte, appuyés au centre du mur,
comme s'ils étaient au fond du jardin,
dehors. On entend les oiseaux. Aline
sort de la poche de sa veste un paquet
de cigarettes, en offre une à Steve qui la
prend, ravi. Il l'allume, s'allume. Il
prend une grande inspiration comme
pour goûter deux fois plus et expire,
satisfait. Elle aspire prudemment et
expire un peu vite (comme la novice
qu'elle est, en fait!). Elle le regarde avec
un air dégoûté. Il rit.

STEVE
Pourquoi t'es sortie?

> *Elle le regarde sans comprendre la question.*

STEVE
Pourquoi t'es sortie des sœurs?

> *Aline hausse les épaules.*

ALINE
J'avais des problèmes.

STEVE
De cul?

ALINE
De doute.

STEVE
De doute?...

ALINE
Ben oui, de doute, douter, pas savoir, pas être sûre.

STEVE
Pas sûre de quoi?

> *Un temps. Aline réfléchit. Steve se méprend, croit qu'elle ne veut pas répondre.*

STEVE
Pas sûre de quoi? De Dieu?

ALINE
Ben non... pas sûre d'être... j'sais pas... un être
vivant.

STEVE
C'est vrai qu'les pisseuses...

ALINE
Non, c'est pas les sœurs. C'est à cause des certitudes. La religion pis ses certitudes. Pas de
place pour le doute chez les catholiques. Pas de
place pour l'inquiétude des vivants. Pas de
place pour moi, quoi!

STEVE
Pour moi non plus.

Ils fument en silence.

STEVE
J'pensais pas qu'on rentrait encore din sœurs
aujourd'hui.

ALINE
On rentre pas non plus, tu vois ben: on en sort.

Elle éteint par terre.

ALINE
Pas sûre de m'mettre à fumer, moi. J'pense que
j'aime autant avoir l'air sœur!

STEVE
Pis Dieu, lui?

ALINE
Dieu?

STEVE
Ben oui: Dieu, le bien, le mal, le péché, le paradis terrestre, tu y crois-tu encore?

ALINE
Ça t'intéresse?

STEVE
Pourquoi pas?

ALINE
Tu y crois-tu, toi?

STEVE
Es-tu folle? *(Il montre le ciel.)* Y a rien là-dedans!

ALINE
Quand on meurt, c'est fini? Pus rien? Un cadavre, c'est un cadavre, point? Une roche dans un bois, c'est ça?

STEVE   *(Relève la tête.)*
À chaque fois qu'j'ai levé la tête, j'ai jusse vu le ciel pis les oiseaux. Rien d'autre, la sœur.

ALINE   *(Elle sourit.)*
J'avais rien qu'à me lever la tête avant de rentrer chez les sœurs, han?

STEVE
T'aurais perdu moins de temps.

ALINE
Toi, t'en as pas encore perdu?

STEVE
On parlait pas d'moi, là.

ALINE
Sais-tu c'que j'fais ici?

Steve s'éloigne, l'air de s'en ficher.

STEVE
La même affaire que tout le monde: tu t'mêles
des affaires des autres.

ALINE
Jusse des tiennes.

STEVE
Tu t'occupes pas des autres?

ALINE
Non.

STEVE
Y ont été chercher une pisseuse jusse pour moi?

ALINE
C'est ça.

STEVE
Ben, ça va leur coûter cher pour rien. À moins
que... les pisseuses, ça coûte pas ben cher, me
semble?

ALINE
C'pas toi qui payes.

STEVE
Qu'est-ce que t'en sais?

> *Silence. Steve s'assoit contre le mur, les
> coudes sur ses genoux relevés. Aline le
> regarde, regagne sa place, côté cour.*

ALINE
T'es pas pour bouder? Tu l'savais que j'tais pas
venue ici dans leur dos? Ça fait trois semaines
que tu me regardes aller!

STEVE   *(Buté.)*
J'comprends pas que quelqu'un puisse rentrer

chez les sœurs de nos jours. Faut être borné, tu penses pas?

ALINE
Certainement qu'y faut être borné! Pis plusse que tu penses. Pis plusse que t'imagines.

STEVE
Faut avoir peur des hommes à part de t'ça!

ALINE   *(Sourit.)*
Ça... c'est pas si sûr... quoique je l'ai déjà vu.

STEVE
T'as pas répondu à ma question!

ALINE
Laquelle?

STEVE
Dieu? Tu y crois-tu encore ou ben t'en es revenue?

> *Aline part à rire.*

ALINE
J'en suis revenue, comme tu dis.

> *Elle se lève, amorce le départ.*

STEVE
Aye! C't'une bonne journée, tu trouves pas?

ALINE
Comment ça?

STEVE
Ben... on a quand même réglé pas mal d'affaires: tu crois pas en Dieu, t'en es sortie.

Elle le regarde en souriant, hoche la tête.

ALINE
C'est ça. Et pis moi, j'suis ici pour toi.

Elle sort. On l'entend s'éloigner. Steve, très fâché, se lève et crie près de l'extré- mité cour du mur.

STEVE
Va écrire ton rapport, la pisseuse! Va parler de c'que tu connais pas! Maudite pisseuse à marde!

Noir

* * *

Quand l'éclairage revient, Steve est seul. Il s'ennuie. Il marche de long en large. Il a l'air inquiet.

Puis, on entend les pas d'Aline appro- cher. Steve va s'asseoir précipitam- ment. Il fait le gars qui n'attend rien.

Puis, alors que les pas sont presque arrivés, on n'entend plus rien: un arrêt brusque. Puis, les pas reprennent, mais décroissants. Ils s'éloignent. Steve se lève, surpris. Il s'approche du côté cour du mur et regarde.

On n'entend plus rien.

Il revient et reprend sa marche. L'éclai- rage baisse doucement.

* * *

Quand l'éclairage revient, Steve est déjà plongé dans une longue tirade. Aline marche de long en large, préoccupée. Steve est d'autant plus à l'aise qu'elle ne l'écoute pas vraiment. Il fait son numéro.

STEVE
... seulement, faudrait être fuckée en maudit! Tu penses pas? J'arrête pas de m'demander combien de temps exactement ça prend pour sortir des sœurs. J'veux dire en sortir dans sa tête, pas jusse sortir d'la place. Se débarrasser de Dieu, de la foi, de toute! Ça peut varier pas mal si la sœur, ben... l'ancienne sœur, est restée là longtemps ou pas. Une sœur qui rentre din sœurs vierge en sort probablement vierge. Qu'est-ce qu'a fait? A s'cherche un homme pour casser comme faut avec son ancienne vie. Casser avec Dieu. Les femmes font ça. Sont d'même. Mais si a veut...

ALINE   *(L'interrompt.)*
Steve...

STEVE
J'ai pas fini. Si a veut sortir sans s'en sortir, là a va pas nécessairement se chercher un...

ALINE
Steve, arrête!

STEVE
Je l'savais ben que c'tait un problème de cul!

ALINE
On parlera de ça plus tard pis autant qu'tu voudras. Mais si tu veux avoir l'occasion d'me

revoir, va falloir qu'on parle d'autre chose aussi.

STEVE
As-tu arrêté de fumer, toi?

Elle sort des cigarettes de ses poches, les lui tend. Il s'en allume une, met le paquet par terre, la fixe.

ALINE
Y vont m'enlever le dossier.

STEVE
C'est moi ça, le dossier?

Il marche, nerveux.

ALINE
Y vont m'enlever le dossier du dénommé Steve Mercier, 17 ans, accusé encore de rien, mais placé sous observation à la demande expresse du juge du Tribunal de la jeunesse pour réussir à savoir si on va l'accuser de meurtre au premier, second ou troisième degré ou de rien en toute.

STEVE
Fume un peu, la pisseuse.

Il lui tend une cigarette. Elle la prend. Il va s'allumer une autre cigarette.

STEVE
Cé qu'y veulent, c'te gang de malades-là?

ALINE   *(Se met à marcher aussi.)*
Y sont comme toi, Steve, y veulent comprendre,
savoir les raisons. Tu veux savoir comment une
ancienne sœur réussit à vivre sa vie, en quoi a
croit ou en quoi a croit pus, si a baise, si a
mange, si a rit, si a fume. Y veulent savoir si t'as
tué un homme qui était ton beau-père, si c'tait
exprès ou un accident, si t'avais tes raisons pis
lesquelles, si t'as perdu la tête ou pas ou si tu
l'as seulement regardé s'enfarger dans son fusil.

STEVE
Quand est-ce que j'vas sortir d'ici?

ALINE
Quand on va savoir ça pis le reste. Quand on va
savoir si t'es un paranoïaque dangereux ou un
enfant malheureux ou ben les deux.

STEVE
C'est toi qui décides? Dis-leur que j'vas ben.

ALINE
Steve... y vont me retirer le dossier parce que
chus pas une menteuse pis que j'écris jusse
c'que j'sais. Pis là, j'sais rien.

STEVE
Bon ben c'est ça, c'est toute: on sait rien!

ALINE
Y vont en envoyer un autre, tu sais.

STEVE
M'en doute.

ALINE
Tu veux pas en parler? À personne?

STEVE
De quoi?

ALINE

De la mort de Bernard Lefebvre, quarante et un ans, marié à Lorraine Rivard, ta mère dont c'était le second mari et avec qui elle a eu...

STEVE

Bon, ça va faire! Pas besoin de jouer à ça.

ALINE

Steve... parle-moi d'eux autres, parle-moi de lui ou de tes demi-frères ou de ta demi-sœur. Parle-moi de quelque chose qui soit à toi, que je puisse leur dire que ça avance, que j'peux t'aider, que ça s'en vient...

> *Steve se tait. Il marche continuelle-ment.*

ALINE

Les deux personnes qui t'ont vu avant moi ont écrit...

STEVE

Les deux tarés? Les deux caves?

ALINE

Oui. Y ont écrit que tu pouvais l'avoir fait, que t'étais asocial, caractériel, que tu te refermais sur toi-même, que ton attitude n'était pas défensive mais agressive, que tout ce qu'ils pouvaient conclure à la...

STEVE

Savais-tu ça que les faucons faisaient jamais de nid? Quand y reviennent au printemps, y prennent le nid des autres ou ben y s'font un p'tit rond sur un coin de falaise pis c'est là qu'y mettent leurs œufs?

Aline le regarde, interdite. Elle travaille comme une folle, cherche à comprendre de quoi lui parle Steve, de quelle façon il l'éclaire.

ALINE
Les faucons?

STEVE
Ben oui! J'gage que tu serais le genre de femme à voir un faucon pis à l'prendre pour un corbeau. Un maudit gros corbeau!

ALINE
Ça m'surprendrait pas d'moi.

STEVE
T'en as jamais vu, han?

ALINE
Jamais. Toi?

STEVE
Faut être patient, faut savoir attendre. J'connais une place où y en a chaque année. J'ai déjà vu un bébé faucon partir à voler.

ALINE
Tu seul?

STEVE
J'espère que tu t'imagines pas que quelqu'un le tient par en-dessous! Tu seul certain! J'te parle des faucons, là!

Il s'arrête, la regarde.

STEVE
Combien de temps y t'donnent, la gang de malades?

ALINE
Une autre semaine.

Un temps.

STEVE
Ça arrive qu'on pense encore que les faucons sont dangereux. Ça arrive que des tarés les chassent parce qu'y pensent encore que les faucons crèvent les yeux des enfants pis qu'y mangent les oiseaux pis les animaux jusqu'à détruire une espèce. Ça arrive que des malades pensent qu'y faut les tuer avant d'être attaqués.

ALINE
J'suppose qu'y a rien d'vrai là-dedans?

STEVE
C'qui est vrai, c'est que l'plus grand ennemi du faucon, asteure qu'y a pus de D.D.T., le seul qui peut l'faire disparaître, l'achever, c'est l'homme. C'est ça qui est vrai.

Il s'assoit, épuisé. Aline ramasse les cigarettes, vient pour les mettre dans ses poches, se ravise, les apporte à Steve et les laisse à terre. Elle s'arrête juste avant de sortir, le regarde.

ALINE
J'connais pas ça, mais me semble ça doit être pas mal tu seul, un faucon.

Steve la regarde, surpris. Et là on peut voir l'enfant traqué, épeuré qui a un urgent besoin d'aide et d'amour. On voit un très jeune homme très seul, assis contre un mur de briques et qui semble avoir très froid et très peur.

Quelqu'un qui se souhaite tellement plus fort qu'il ne l'est.

Aline s'en va.

La lumière baisse.

* * *

Lorsque l'éclairage revient, on pourrait croire que Steve n'a pas bougé, qu'il est resté là depuis la veille, immobile, glacé, seul.

On entend les oiseaux et on doit sentir le petit matin dans l'éclairage. Steve se berce un peu.

Puis, désœuvré, il enlève ses espadrilles, ses bas, remonte le bas de son pantalon. Il se lève et se met à marcher en 8 sur toute la surface de l'espace.

On entend des pas, mais pas ceux des talons d'Aline. Steve s'arrête, écoute. Il retourne très vite au mur, s'assoit, inquiet.

Les pas approchent côté jardin. Arrive André: il a l'air jeune, gêné, très mal à l'aise et incapable de savoir quoi faire de ses bras. Il s'arrête dès son entrée et fixe Steve intensément.

Steve lui jette un regard et se préoccupe
de ses espadrilles sans plus le regarder.
André avance, hésitant. Il sourit.

ANDRÉ
Steve?

Un temps où Steve ne compte certai-
nement pas l'aider. André avance
encore un peu.

ANDRÉ
Euh... j'suppose que tu me r'connais? *(Un*
temps) T'as changé, han! T'as... t'as pris d'la
charpente comme on dit!

Steve le regarde, très froid.

ANDRÉ
Es-tu bien ici? C'est pas trop dur, trop sévère?
Steve... j'suis venu pour t'aider.

Steve met ses bas, ses espadrilles, com-
plètement fermé.

ANDRÉ
Si j'peux, j'suis venu pour t'aider.

Steve se lève en regardant ses souliers.

ANDRÉ
Va-t'en pas!

Steve éclate de rire devant l'absurdité
de la réflexion. Il marche en longeant
et en touchant le mur. André le suit à
une certaine distance.

ANDRÉ

Excuse-moi, j'sais qu'c'est gauche d'arriver
comme ça, de dire tout ça, de faire celui qui
peut queque chose... euh... c'est ta mère qui
m'a appelé. Ta mère a toujours su où j'étais. J'ai
toujours payé ta pension, toujours!

Steve accélère, André s'arrête, sentant à
son tour l'absurdité de la situation.

ANDRÉ

Seigneur, qu'est-ce que je raconte? Excuse-moi.
Steve, peux-tu, s'il-te-plaît, arrêter de marcher
comme ça?

Steve s'arrête du coup, le nez vers le
mur. Il bloque là sans rien manifester
d'autre qu'une obéissance rageuse.

André soupire, découragé de sa propre
performance. Il regarde l'endroit où il
est.

ANDRÉ

Pas de chaise, ici? Y t'laissent de même, pas de
chaise, pas rien? C'est spartiate!

Il marche un peu, mal à l'aise de
l'immobilité de Steve.

ANDRÉ

Oui... ta mère m'a appelé en quelque sorte.
Elle... bon, c'est sûr, a va pas bien, a t'en veut, a
t'croit coupable. A m'a conté toute ta vie en une
heure, tous les mauvais coups qu't'as inventés
en dix-sept ans. Elle... faut comprendre Steve
que, pour elle, c'est un choc épouvantable. Et
comme c'est pas une femme très brillante, alors
elle croit c'qu'a voit. Tu dis rien: t'es coupable.
Vois-tu c'que j'veux dire?

> *Steve s'allume une cigarette et s'appuie
> contre le mur pour fumer. Il fixe son
> père d'un œil glacial.*

> *Décontenancé, André cherche ses ciga-
> rettes et ne les trouve pas. Il n'ose pas
> en demander à Steve.*

ANDRÉ

J'disais ça pour t'expliquer, te faire comprendre
en quelque sorte pourquoi ta mère refuse de te
voir. Des fois que ça te dérangerait.

> *Regard à Steve qui fixe toujours son
> père.*

ANDRÉ

Si j't'ai jamais donné de nouvelles, c'est parce
que j'ai toujours été persuadé que c'tait la
meilleure façon de procéder pour que tu te
fasses à ta nouvelle vie, à ton nouveau père.
Pour que tu t'intègres plus facilement à ta
nouvelle famille. Mais j'me suis toujours tenu
informé de toi!

> *Steve éteint et s'assoit par terre, tou-*
> *jours fasciné par ses chaussures.*

ANDRÉ

J'tais loin! J'voyageais beaucoup. J'ai changé constamment de laboratoire. J'ai travaillé jour et nuit. J'ai pas oublié, j'voulais jusse que toi, tu te r'fasses une vie sans souffrir de mon absence.

> *Steve redéfait ses lacets et attache ses*
> *deux espadrilles ensemble, même s'il*
> *les a encore dans les pieds. André le*
> *regarde faire, complètement dérouté.*

ANDRÉ

Ta mère dit à tout l'monde que t'es fou. Que t'es fou depuis longtemps, depuis qu't'es petit, depuis mon départ. Ta mère dit que t'avais essayé de tuer Frédéric quand y était bébé. Qu'a t'avait surpris en train d'essayer de l'étouffer avec le ruban de sa suce. J'ai peur que ta mère soit devenue folle, Steve... T'as compris pourquoi j'étais parti? T'as compris c'qui s'est passé, han? Maintenant que t'es un adulte, tu peux comprendre que ta mère et moi... que ta mère... enfin, que ta naissance a provoqué un mariage qui était, en quelque sorte, une mauvaise idée. Je l'sais pas si t'étais assez grand pour savoir que ta mère était enceinte quand chus parti? T'en souviens-tu, Steve? Frédéric est né un mois après mon départ. T'as aimé ça avoir un demi-frère, non? Ta mère dit qu'après, t'as seulement supporté la famille. J'pense que ta mère s'énerve peut-être, non?

*Steve est maintenant debout et essaie
de marcher avec ses espadrilles atta-
chées. André le suit en silence. Il le
regarde nerveusement.*

ANDRÉ
Steve... actuellement, c'est assez difficile pour
moi de te parler... pourrais-tu... pourrais-tu,
s'il-te-plaît, *(Steve se retourne brusquement, le
regarde dans les yeux et attend. Mal à l'aise,
André parle très vite.)* Si tu pouvais m'passer
une cigarette... j'sais pas c'que j'ai faite des
miennes!

*Steve lui tend son paquet en silence.
André s'allume, lui remet son paquet.*

ANDRÉ
J'te remettrai ça la prochaine fois. Y a-tu d'autre
chose dont t'as besoin? De l'argent, des
vêtements, des choses à manger... non? Gêne-
toi pas! J'ai pris quinze jours pour venir te sortir
de d'là. J'ai déjà rencontré certains avocats. J'ai
parlé au coroner, au juge pour enfants, au
directeur ici, à un ou deux psychologues... Si tu
collabores, si tu nous aides, on va pouvoir
t'aider. La situation est pas encore dramatique.
Y a bien ta mère là, qui est pas tellement posi-
tive, mais ça va s'tasser, elle a toujours été assez
excessive, t'a connais. J'pense qu'elle a subi un
gros choc.

*Steve s'assoit, défait ses lacets, les laisse
pendre.*

ANDRÉ

J'voudrais pas qu'tu penses que j't'ai aban-
donné. Ça peut avoir l'air de ça, mais j'ai essayé
de faire pour le mieux, de penser à toi, à ton
avenir, à ton équilibre. J'ai jamais pensé que
tu développerais de l'agressivité envers
c't'homme-là. Ta mère disait qu'y t'aimait
beaucoup. J'savais pas que c'tait un homme
violent, hargneux, rancunier. J'aurais dû y
penser qu'y t'aimerait pas nécessairement tu-
suite, mais ta mère a présenté les choses à sa
manière...

Steve s'allume. Un temps.

ANDRÉ

J'voudrais pas qu'tu penses que j'essaie d'me
disculper. J'prends mes torts, j'en ai. Y a des
gens qui m'ont dit que Bernard te traitait avec
sécheresse, qu'y t'avait jamais aimé. Ça s'peut,
han? C'est humain... en quelque sorte.

Un temps. Une certaine lourdeur.

ANDRÉ

J'aurais p'tête dû revenir, mais on m'avait dit
que c'tait mieux de pas jouer à ça. Ta mère avait
mon adresse si quelque chose arrivait.

Un temps.

ANDRÉ   *(Il explose soudain.)*

J'pouvais quand même pas te faire venir dans
un milieu anglophone étranger alors que

j'travaillais quinze heures par jour! C'aurait pas
été mieux pour toi! Pis après le Dakota, ça a été
Chicago, puis Baltimore, puis le Texas! Un
enfant a besoin de plus que des valises, tu
penses pas? D'une vraie famille.

Rien de Steve, André tourne en rond.

ANDRÉ
Veux-tu ben m'dire pourquoi y a pas de chaise
ici?

*Steve regarde son père calmement.
André soupire, s'approche de Steve,
descend vers lui en s'appuyant sur ses
épaules.*

ANDRÉ
On va t'sortir de d'là avant d'parler du passé,
han Steve? On va t'sortir d'ici. T'es ni un fou, ni
un tueur. T'as eu des difficultés avec un homme
brutal. Tout le monde dit qu'y était sévère avec
toi. Ça s'prouve, ça. Ta mère dit que t'es revenu
avec le fusil din mains pis l'air d'un fou furieux.
J'pense que t'as eu un choc de l'trouver mort
dans l'bois, non? Trouver son beau-père mort,
ça doit pas être facile. Peut-être que t'es t'arrivé
après l'accident? Peut-être que tu sais rien pis
que t'as peur de passer pour coupable? Ça
s'peut ça? Qui a vu quoi? Personne le sait. On
peut supposer c'qu'on veut. Ta mère dit c'qu'a
veut, mais a peut pas nier que Bernard est parti
avec le fusil, son fusil, dans les mains. Que c'est
lui, pas toi, qui est parti avec. Même Frédéric l'a
vu. Pis c'est pas les empreintes qui vont parler:
y a celles de tout le monde dessus! Fa que,

pense à ça Steve, pis demain, tu m'diras c'qui s'est passé. Pis moi, j'me charge de l'dire aux autres pis de faire taire ta mère avec son délire. O.K.? Ça marche?

Il se relève, satisfait de son discours: c'était plus facile en ayant Steve de dos. Steve retire ses espadrilles sans broncher. André le regarde, doute un peu. Il vient pour s'éloigner, puis se ravise.

ANDRÉ

J'ai souvent pensé à toi pendant ces années-là. Ta mère m'envoyait des photos, mais c'est pas ça qu'j'avais gardé en tête. J'pense que j't'ai toujours imaginé comme moi quand j'tais p'tit. C'est fou, han? C'est en t'voyant à matin qu'j'ai réalisé ça: tu me r'sembles pas quand j'avais ton âge. Tu me r'sembles pas vraiment. C'est fou c'qu'on s'imagine pendant des années, han?

Cette fois, il va sortir. Mais, près de la sortie jardin, il s'arrête et dit, de dos:

ANDRÉ

Pense surtout pas qu'ça m'a rien fait d'partir.

Et il part.

Steve reste immobile un bon temps. Puis, il saisit son espadrille et la lance violemment sur le mur. Puis il lance l'autre et se met à courir après la première pour la relancer aussitôt et ainsi de suite dans une libération de rage assez violente. Il lance, lance et lance en grognant et en criant.

Quand il n'en peut plus, il se laisse couler à terre, dans le milieu de la place et il reste couché sur le plancher en chien de fusil, épuisé, les espadrilles abandonnées là où elles sont tombées la dernière fois.

On entend les pas d'Aline. Steve ne bouge pas. Elle entre, le voit et s'approche, inquiète. Il respire bruyamment, épuisé. Elle s'approche mais ne le touche pas. Elle reste près de lui, s'assoit près de ses pieds. Elle sort des oranges de ses poches et les enligne devant lui, sans rien dire.

Steve ouvre les yeux, voit les oranges, sourit. Il les touche doucement sans se relever, sans bouger presque. Aline attend.

STEVE

Y a un homme qui est venu. Y a essayé de s'faire passer pour mon père. Mon vrai père, pas celui qui est mort.

Un temps. Aline ne dit rien. Steve lâche les oranges et met sa main sous sa poitrine.

STEVE

Penses-tu qu'c'est un truc d'la gang de tarés pour essayer d'arriver à d'quoi?

ALINE

Ça m'surprendrait. Ça serait un peu fort.

STEVE

Ah...

ALINE

Tu l'as pas reconnu? Y ressemble pas à ton père?

STEVE

Y s'excusait tout le temps, y disait... des niaiseries. Vaut pas a peine d'en parler.

ALINE

Si y s'excusait, ça doit pas être ton père, han?

STEVE

Penses-tu qu'y se serait dérangé, si j'tais mort?

ALINE

Lui?

STEVE

Non. Mon père.

ALINE

Si t'étais mort?

STEVE

Ben oui, mort. Raide mort. Comme l'autre.

ALINE

Peut-être. J'suppose que oui.

STEVE

Trouves-tu ça cave, toi la sœur, le monde qui reviennent jusse quand t'es mort?

ALINE

Pas mal oui. Pas mal cave.

Un temps.

STEVE
Sais-tu pourquoi t'étais pas faite pour faire une pisseuse?

ALINE
Des bouttes oui, des bouttes non.

STEVE
T'es l'genre de femme à vouloir voir les vivants pis pas les morts. Dieu pis l'éternité, ça devait faire trop loin pour toi. Pas assez vrai, pas assez en vie.

ALINE
Si c'tait quand même ton père?

STEVE
Y aurait changé.

ALINE
Qu'est-ce que tu y as dit?

STEVE
Pas besoin d'parler.

ALINE   *(Elle sourit.)*
Ça l'a choqué?

STEVE
Non, non, y s'en est pas aperçu.

Aline rit. Steve se soulève, la regarde.

STEVE
Y sont rusés, han? C'tait pas fou l'coup du père. Mais j'vas t'dire de quoi la pisseuse: quand t'en as eu un faux, t'é vois venir les autres faux.

Aline joue un peu à faire rouler les oranges. Elle attend.

STEVE

Ça m'fait mon troisième père. Celui-là est venu m'sauver à c'qu'y paraît.

ALINE

Te sauver? Comment?

STEVE

Y va organiser ça en accident. Y a l'air de prendre ça pas mal personnel.

ALINE

Ça en fait du monde pour te sauver, ça!

> *Steve s'accoude par terre, près d'Aline, la regarde en souriant jusqu'à la troubler. Il roule une orange vers elle, tendancieusement, pour la séduire.*

ALINE   *(Doucement, l'air de ne pas en faire de cas.)*
Un bébé faucon peut être nourri par un autre si son père est un mauvais chasseur. D'habitude, c'est la mère qui est obligée de chasser dans ce temps-là. Mais si a laisse le nid, c'est dangereux à cause des prédateurs. Ça arrive qu'un frère s'occupe des autres et qu'y aide la mère en volant plus vite pis en allant chercher la proie dans ses serres quand elle arrive. Les faucons reviennent toujours à leur lieu d'origine. Chaque année. On a déjà vu des sites être occupés 20 ans. Le faucon pèlerin, tu sais c'que ça veut dire? Le voyageur, le nomade, le vagabond. Ça serait ta sorte, ça m'surprendrait pas.

STEVE
T'as travaillé...

ALINE
J'trouve ça fascinant. Le bébé faucon...

STEVE
Le fauconneau.

ALINE
Oui, le fauconneau peut jouer des heures de temps à faire battre ses ailes, à ramener ses serres comme pour l'attaque et ces jeux-là sont exactement l'apprentissage de la chasse pour plus tard. Même tout seul un fauconneau peut apprendre à devenir un grand chasseur. Dans ses jeux, même en captivité, il devient un chasseur avec toutes les caractéristiques du faucon: précision, vitesse, efficacité. Vas-tu m'emmener voir des faucons, un jour?

STEVE
Va falloir être patiente. Un faucon, c'pas un chien, ça s'montre pas quand tu l'appelles. Ça peut prendre des jours.

ALINE
Chus capable d'attendre.

STEVE
Combien d'temps t'es restée chez les sœurs?

ALINE
Treize ans.

STEVE
Quand est-ce que t'as su qu'tu croyais pus?

ALINE
Au bout d'un an.

STEVE
C'est-tu parce que t'haïs ça t'tromper?

ALINE
C'est parce que j'attendais un autre signe que jusse mon doute.

STEVE

Comme quoi? Que Dieu te dise: merci, bonsoir?

ALINE

J'attendais d'être sûre que c'tait fini. J'avais perdu la foi, mais pas l'espoir. Ça peut être ben long perdre l'espoir. Ça m'a pris douze ans.

> *Steve est très affecté par cette conversation. Ému, il se lève et marche, trop bouleversé pour rester immobile.*

STEVE

Mais tu l'savais, tu l'savais qu't'étais faite, qu'y reviendrait pas, qu'y reviendrait jamais? Pourquoi t'as attendu tant qu'ça?

ALINE   *(Sachant très bien de quoi il parle.)*
Tu trouves ça long, douze ans?

STEVE

J'trouve ça «dumby» si tu veux l'savoir!

ALINE

T'as dix-sept ans?

STEVE

Ouain, pis?

ALINE

Pis si j'enlève douze de dix-sept, j'me retrouve à cinq.

> *Steve s'approche très vite, il met doucement sa main sur la bouche d'Aline.*

STEVE   *(Presque tout bas.)*
C't'assez là. C't'assez. J'en parlerai pus. Je l'ferai pus. O.K.?

*Elle prend sa main, la tient, souffle
dessus doucement. Elle la garde, pose
l'orange dedans, ferme ses doigts
dessus.*

ALINE
Si un fauconneau est tout seul et qu'on lui
apporte une proie, il va la déplumer et la
dépecer tout seul. Les fauconneaux aban-
donnés à eux-mêmes résistent rarement, mais
quand y survivent...

STEVE
Y sont forts! J'pourrais t'en apprendre en masse
sur les faucons. Ça pourrait t'surprendre.

Il défait l'orange.

ALINE
Parfait. J'demande jusse ça, apprendre. Y t'resse
cinq jours.

STEVE
Comment ça?

ALINE
Cinq jours avant que j'me fasse clairer pour
incompétence.

STEVE
Même si l'troisième père réussit son sauvetage?

ALINE
Le troisième père m'apprendra rien sus
l'deuxième pis sa mort. Y était pas là, lui. Y va
arranger ça à son goût, pas au mien.

STEVE *(Lui donne l'orange.)*
C'est quoi, ton goût?

ALINE
La vérite toute nue.

STEVE
Ça m'surprendrait.

ALINE
Essaye.

STEVE *(Il rit.)*
Ben oui!

ALINE
Même si tu l'avais tué, même si c'tait ça, tu pourrais t'en sortir. Tu l'sais?

STEVE *(Tanné.)*
Me sortir de quoi, la sœur?

ALINE
Du filet. Tu l'sens pas qui descend?

STEVE
Non. J'sens rien, moi, chus empaillé. J'ai l'air en vie mais j'sens rien, O.K.? Vous avez besoin d'un meurtrier? Let's go! Gênez-vous pas! Vous avez besoin de raisons, d'un passé saignant pis décadent, de queque chose d'heavy avec des bleus sus l'corps? Servez-vous! Y aura toujours quelqu'un pour dire que l'mort était un monstre, que l'meurtrier est une victime, qu'la vie est dégueulasse pis qu'c'est la faute des autres. Parfait d'même! Pour une fois que l'accusé s'défend pas, pour une fois qu'y a pas de circonstances atténuantes, ça chiale encore, ça cherche, ça veut prouver, ça veut sauver. Me sauver d'quoi? De qui? J'ai rien à dire, j'connais rien pis personne. Je l'ai p'tête tué, c'est p'tête

un accident, y a p'tête voulu m'tuer, m'blesser, me faire plaisir, j'ai pas décidé, pas encore.

ALINE

Qu'est-ce que tu veux prouver? Que t'es un coupable parfait? Que toi tu chialeras pas, tu t'plaindras pas, tu demanderas rien? Toi, tu vas accepter d'être accusé sans rien dire, sans rien faire, sans même te défendre si c'est pas vrai?

STEVE

Qu'est-ce que ça peut t'faire?

ALINE

T'as dix-sept ans! Dix-sept ans! J'sais pas c'que tu cherches là-dedans, mais j'vas l'trouver m'entends-tu? Parce que t'es vivant pis pas empaillé, parce que t'as survécu que tu l'veuilles ou non pis que c'est pas moi qui vas laisser faire un gaspillage de même. T'as survécu, Steve.

STEVE

À quoi? À quoi câlice?

ALINE

À lui. À ton enfance. Au départ du premier.

STEVE

J'm'en sacre! J'm'en sacre d'eux autres. J'fais pas partie de ceux qui fouillent les vidanges pour se trouver des raisons d'être comme y sont. Chus comme ça. J'veux rien savoir d'la gang de charognes qui font d'la psychologie à deux cennes parce que mon père a sacré l'camp, parce que ma mère est à moitié épaisse pis que l'deuxième père était fou d'son char pis d'la chasse. Ça m'écœure les sniffeux d'passé qui te r'gardent comme un résultat d'examen! Qui savent mieux qu'toi c'que t'es pis c'que tu vaux. J'ai pas besoin d'm'assire sus mon passé pour faire pitié. J'fais pas pitié. J'existe, c'est toute. Fa qu'ôte tes lunettes, la sœur, pis arrête de m'observer comme un rat dans une cage. J'ai pas survécu, j'ai vécu. Chus pas un survivant, pas un rescapé, chus un vivant. Tant qu'chus pas mort, c'est toute c'que chus pis venez pas m'écœurer avec les traumatismes du passé. Arrêtez de brailler sus ma vie comme si j'tais un martyr. Braillez sus la vôtre si ça vous tente, si ça vous soulage, moi ça m'écœure. Gang de quêteux à s'charcher des raisons pis des excuses. Gang de mange-marde à s'arracher la gale, à se l'infecter, à se faire du mal pour être sûr de pas être responsables. Pis j'me cache pas. Pis j'me traînerai aux pieds d'personne! As-tu compris, la pisseuse? Pis demande surtout pas pardon pour moi. J'demande pas pardon, moi. J'me tiens deboutte, câlice. Pis tu seul.

Aline se lève, ramasse une orange ou deux. Elle a manqué son coup.

ALINE
J'te ferai remarquer que si j'garde mes lunettes, c'est pas pour te scruter, c'est jusse pour voir. Chus pas un faucon, moi. J'ai pas un œil de laser.

STEVE
Si t'é débarquais de temps en temps, tu verrais p'tête mieux. Tu verrais à ta capacité.

ALINE
J'pense j'en ai assez vu pour aujourd'hui.

STEVE
Si t'arrêtais d'analyser les autres, tu saurais

p'tête pourquoi t'as perdu ton temps chez les pisseuses.

ALINE

J'suppose que tu l'sais, toi, l'grand talent? Ben garde-le pour toi. J'vas faire ma grande fille comme tu dis, j'vas y penser tu-seule.

Elle vient pour sortir, se ravise.

ALINE

Veux-tu que j'enquête sus l'troisième père? Ou ben t'as besoin de rien là non plus?

STEVE

Tu peux ben l'laisser faire: y s'prend pour mon père, y est ben sûr de l'être.

ALINE

Pis t'es ben sûr qu'il l'est?

STEVE

Phtt!

ALINE

Ça vaut-tu la peine que je revienne, ou ben j'me claire tu-suite?

STEVE

Quand on parle ni du mort ni des sœurs, on est pas pire ensemble...

ALINE

Ouain... quand on parle de rien, on est bien! The way of life! Tu peux ben dire que t'as pas d'problème!

STEVE

J'ai pas dit ça.

ALINE

C'est vrai. T'as pas dit ça. Tu demandes jusse de t'en occuper tu seul. T'as confiance en personne, han?

STEVE

Tu comprends rien, la sœur.

ALINE

Ben oui, j'sais: j'comprends rien pis chus à peu près rien qu'une ex-pisseuse qui a perdu du temps à comprendre c'qu'a savait déjà. Merci beaucoup pour la consultation. J'vas aller étudier les faucons, y sont moins durs à vivre que toi.

STEVE *(Qui a peur qu'elle ne revienne pas.)*
Aye! Si tu repasses dans l'coin, tu m'apporterais-tu des cigarettes? J'ai ben peur que l'troisième père se décide à l'faire, pis j'aime autant qu'ça soye toi.

ALINE *(S'approche.)*
Merci infiniment de cette marque d'estime, monsieur l'homme libre. Si je repasse dans l'coin, j'vas en apporter certain.

> *Il accroche son bras, elle résiste, veut le retirer.*

STEVE

Maudit, t'es ben choquée!

ALINE

Ben oui, ben oui. Chus l'genre de fille qui prend mal l'échec. Un restant d'orgueil qu'les sœurs ont pas eu. Salut l'faucon!

Elle sort. Steve ramasse les deux oran-
ges qui restent et les cogne doucement
l'une contre l'autre. Il est beaucoup
moins sûr de lui, presque effrayé.

STEVE   *(Pour lui même, très doucement.)*
Aye la sœur, comment tu t'appelles? C'est quoi
ton vrai nom?

Il roule une orange contre sa joue, tout
triste.

STEVE
Aye la sœur, tu vas revenir, han?

L'éclairage baisse.

* * *

On entend un cliquetis avant que
l'éclairage ne revienne. Puis on voit
Steve, debout, dos au mur, les bras
croisés qui attend la personne que le
cliquetis annonce.

André arrive, très chargé: deux chaises
pliantes, un sac de papier brun. Il
entre, très souriant, presque trop.

ANDRÉ
Hi! Comment ça va à matin?

Il entre, dépose son sac, s'active, se
dépense pour créer une ambiance,

ouvre ses chaises, les place près du mur
face à face. L'effet est un peu pauvre,
frisant le ridicule. Steve reste au mur.

André s'assoit: la chaise est un peu
basse, ça ne donne pas l'effet désiré. Il
compense en riant.

ANDRÉ
Bon! C'est mieux qu'avant tout de même, non?
Assis-toi, mon Steve, c'est permis. J'ai l'auto-
risation de rendre ton séjour plus confortable si
c'est ça qui t'inquiète.

Il regarde Steve, attend.

ANDRÉ
Steve... va pourtant falloir qu'on se parle, han
mon gars? J'ai pas fait tout c'te chemin-là pour
jaser avec un sourd-muet, han?

Steve le regarde sans bouger. André
déglutit, mal à l'aise.

ANDRÉ
Well... j'vas être franc avec toi, j'peux pas dire
que j'ai la manière en quelque sorte. J'ai... euh,
j'étais pas nécessairement fier de moi hier. J'ai
dit... je... j'ai été gauche, si tu veux. On s'imagine que parler à un enfant, à son fils, ça va être
simple, direct en quelque sorte. Ben non! tu
m'as décontenancé, hier. J'm'attendais pas à
ça. À tes façons... que je trouve normales,
d'ailleurs! T'as aucune raison d'être chaleureux
avec un homme que t'as pas vu depuis douze

ans, han? *(Plus bas.)* Ou d'être seulement heureux de l'voir, han?

> *Il regarde Steve qui n'a pas bronché.*

ANDRÉ
Pourrais-tu, s'il-te-plaît, venir t'asseoir ici? Ça me faciliterait les choses.

> *Steve soupire et va s'asseoir sur la chaise. Il prend exactement la même pose que son père, volontairement, «pour lui faciliter les choses».*

ANDRÉ
Good! Good, mon gars!

> *Un silence.*

ANDRÉ
Chus pas habile avec les mots, han? T'as dû le remarquer. J'fais pas l'métier pour ça non plus. Y a... y a eu une époque où j'me suis imaginé not'rencontre... pas comme aujourd'hui, c'est sûr! Non... une sorte de fête où on se retrouvait. *(Un temps.)* Que je fasse n'importe quoi, que j'soye n'importe où, t'as toujours fini par t'imposer on dirait. Par faire surface. Dans ma tête c'tait... un assez bel événement. *(Un autre temps.)* Une sorte de rêve, j'imagine.

> *Steve s'agite sur son siège.*

ANDRÉ

Y a... y a des choses que j'ai toujours su. Ta mère, pour une, j'ai toujours su qu'y fallait pas compter dessus, ni rien attendre d'elle. Mes parents non plus d'ailleurs. Mais un fils... ça l'air que c'est plus fort que l'bon sens pis qu'on attend d'quoi... malgré soi en quelque sorte. Une sorte de... de... consolation serait pas vraiment l'mot... j'ai perdu mon français. «*Comfort!*» Comment j'pourrais ben dire ça?

> *Steve regarde par terre, ostensiblement.*
> *André le fixe, un peu fâché. Puis il*
> *porte la main à sa poche pour prendre*
> *des cigarettes. Il sursaute, ce qui sur-*
> *prend Steve qui lève alors la tête.*

> *André se lève, va chercher son sac brun.*

ANDRÉ

C'est vrai: j'ai queque chose pour toi. *(Il exhibe la cartouche de cigarettes.)* J'ai pensé à t'apporter ça.

> *Il les lui met sur les genoux, s'assoit,*
> *sort une cigarette de ses poches, en offre*
> *à Steve qui se contente de jouer avec le*
> *cube de la cartouche.*

ANDRÉ

Non? T'as pas arrêté d'fumer hier soir, j'espère?

> *Il se penche, remue le pied de Steve,*
> *maladroitement.*

ANDRÉ
C't'une farce, j'te taquine!

> *Le sourire de Steve est un poème à la*
> *non-collaboration. André se lève et*
> *marche en fumant.*

ANDRÉ
Pour en revenir à nos affaires, j'ai reparlé à ta
mère. A démord pas d'sa version: tu y en
voulais, tu l'as tué. Mais c'est le choc. La famille
a l'air en assez mauvais état: la petite pleure
tout l'temps, l'autre... euh... Ghyslain? est
toujours parti et Frédéric est devenu muet,
comme toi. Personne sait rien, a rien vu. Tout
l'monde dit qu'y avait pas eu de drame, de
crise, d'incident et que Bernard était très
collaborant ces derniers temps. J'vas être franc
avec toi: le directeur ici trouve que tu débio-
ques pas vite et que la femme qui te soigne est
peut-être pas la bonne personne. Il maintient
qu'avec tes antécédents, euh, le fait que je sois
parti quand t'avais cinq ans et que tu sois
soupçonné du meurtre de ton beau-père, il
maintient que c'est d'un thérapeute homme...
ben d'une image de père en quelque sorte dont
t'aurais besoin. Y a peut-être pas tort, han? *(Il*
revient, s'assoit.) Qu'est-ce que t'en penses,
Steve?

> *Il attend, le regarde franchement. Puis*
> *il semble se troubler.*

ANDRÉ
Avais-tu les yeux verts comme ça? C'est drôle...
Ma mémoire me joue des tours... Vois-tu

encore mieux que moi? *(Il rit doucement.)* Tu t'en souviens pas, c'est sûr, mais quand t'étais petit, j't'emmenais avec moi dans l'bois. J'partais des grandes journées avec toi sur mes épaules, on allait observer les oiseaux. T'étais incroyable: tu les voyais toujours arriver avant moi. Tu t'mettais à gigoter. T'avais une façon...

STEVE *(L'interrompt.)*
Taisez-vous!

ANDRÉ
Pardon?

STEVE
Taisez-vous!

ANDRÉ
Ben voyons: j'te parle de quand t'avais quatre-cinq ans! Qu'est-ce qui te prend?

Steve se lève brusquement.

ANDRÉ
Y a-tu queque chose qui t'choque là-dedans?

STEVE *(Entre ses dents.)*
En quelque sorte.

ANDRÉ
Pardon?

STEVE *(Crie.)*
En quelque sorte!

ANDRÉ
Aye ça va faire, c'est quoi ces manières-là?

Steve revient vers lui, fou de rage.

STEVE

C'est les miennes! Ça fait pas? Partez! J'vous ai
rien demandé, moi. Ramassez vos chaises, vos
cigarettes, vos cliques pis vos claques pis sacrez
vot' camp!

ANDRÉ

Tu m'tutoyais quand t'étais...

STEVE

J'vous connais pas! J'vous ai jamais vu. Vous
m'intéressez pas. Allez jouer l'père ailleurs.
Sacrez vot'camp!

ANDRÉ   *(Se lève.)*

Tu m'en veux, han? J'te comprends, t'as raison.
J'aime mieux ça en quelque... *(Il stoppe son
élan.)* Ben vas-y, engueule-moi: j'ai pas été là,
j't'ai laissé avec un homme que t'aimais pas,
une famille d'enfants que t'avais pas deman-
dée, une mère qui t'a sans doute né...

STEVE

Taisez-vous!

ANDRÉ

Non, vas-y j'te dis. J'ai mes torts, chus capable
d'les affronter.

> *Steve se détourne, va au mur, donne
> un coup de pied dessus.*

ANDRÉ

Te rends-tu compte que t'aurais pas eu besoin
de l'tuer si t'avais pu gueuler contre moi, contre
eux autres, contre ces enfants-là? Quand j't'ai
laissé, t'étais un p'tit gars normal, p'tête même
en avance sur son âge. Tu savais lire et écrire, tu

pouvais faire des casse-tête, reconnaître un
ois...

STEVE

Taisez-vous! Allez-vous vous taire?

ANDRÉ

Les casse-tête d'oiseaux, tu t'en sou...

STEVE   *(Incapable d'en supporter plus, très
violent.)*
Allez-vous la fermer vot' maudite gueule sale?
Allez-vous vous taire?

> *Il saisit sa chaise, la ferme, la lance
> près de la sortie jardin, fait pareil avec
> la cartouche de cigarettes.*

STEVE

Chus-tu obligé d'vous écouter? Chus-tu obligé
d'vous entendre parce que chus enfermé ici?
Sacrez vot'camp, j'veux pus vous voir la face. Si
vous êtes mon père, j'vous reconnais pas, j'vous
veux pas, c'tu clair? J'veux la paix, la câlice de
paix! Sortez d'ici!

> *André se lève, veut s'approcher de
> Steve.*

ANDRÉ

O.K., Steve, O.K. Right! T'es fâché, c'est bon,
c'est normal. Mais j'suis ton père que ça fasse
ton affaire ou non. Que ça te plaise ou non.

> *Steve prend la chaise d'André, la plie,
> la pose soigneusement sur l'autre, à la
> sortie.*

STEVE

O.K. Mon père est un taré qui dit «en quelque sorte» à chaque fois qu'y sait pas quoi dire. Mon père a tout fait c'qu'y pouvait. Maintenant, y peut partir l'âme en paix, l'cœur tranquille: j'y reprocherai jamais rien, y est pas responsable ni moralement ni d'aucune autre façon du monstre que je suis devenu. Amen. Merci. Merci pour tout. On sort par là.

> *Il est de dos à André, face aux chaises et indique la sortie jardin. André s'allume une cigarette nerveux, mais content.*

ANDRÉ

Ouain, t'as pris d'la force, han? Y en a d'dans comme on dit!

STEVE   *(De dos.)*
En quelque sorte.

ANDRÉ

Bon, écoute... on fera pas un plat avec ça! J'te l'ai dit, c'est normal, c'est même rassurant que tu soyes agressif avec moi. Y a pas...

STEVE   *(Lui fait brusquement face.)*
Qu'est-ce que vous voulez?

ANDRÉ

Han?

STEVE   *(Très vite, très sec.)*
Qu'est-ce que vous voulez? Qu'est-ce qu'y faut faire, qu'est-ce qu'y faut vous donner pour que vous partiez? Pour pus jamais vous voir la face? Dites-le là, dites-le vite. On va faire ça.

ANDRÉ

Tu t'débarrasseras pas de moi d'même.

STEVE

Des aveux? Voulez-vous des aveux? Des aveux complets? J'l'ai tué, j'pouvais pus l'voir, y disait «quand que» pis ça m'énervait! Non, non! Non, je l'sais: y a embrassé ma mère devant moi, ça m'a excité pis ça m'a rendu jaloux. Ou ben y a faite manger les autres enfants à sa table pis moi j'mangeais dans ma chambre. Ça c'est bon! J'pouvais pus sentir ça, j'l'ai tué, fou de rage. J'l'ai tué en l'appelant: papa! Pis après, j'ai essayé d'camoufler ça en accident. C'est bon, ça. Ça devrait vous faire du bien, han? C't'un peu d'vot'faute, pis pas trop. Jusse c'qu'y faut. Aimez-vous ça?

ANDRÉ

Fais pas d'farce avec ça. Comment tu fais pour rire de ça?

STEVE

«Ça», comme vous dites, vous savez pas c'que c'est, ça fait que j'peux ben rire de c'que j'veux. Si ça vous écœure, allez ailleurs, j'vous retiens pas. J'veux rien savoir de vous, de vos reproches, de vos remords, de vos petits rêves de papa débile, de vos petits projets d'homme normal.

ANDRÉ

T'es pas obligé d'm'aimer, mais j'vas t'sortir de là quand même.

STEVE

L'aimer! Qué cé qu'y faut pas entendre, l'aimer asteure!

ANDRÉ

Ben oui: aimer. Tu vas p'tête savoir c'que ça veut dire un jour.

STEVE

Vous l'savez, vous, d'abord? Vous savez ça? Vous venez **vous** sauver en m'sortant d'ici, pis c'est toute! Sauver vot' p'tite peau de p'tit homme, de p'tit père sans envergure. Vous venez vous faire le grand numéro du gars marqué à jamais qui a faite des erreurs, qui les a reconnues pis qu'son fils a craché d'sus. Pauvre homme!

ANDRÉ

Tu sais que j'vas finir par croire que tu l'as tué?

STEVE

Bon! La phase deux asteure! On n'en passera pas une, on va être gâté! Vot' mère, non? Ça vous tente pas? Un p'tit queque chose sur l'enfance écorchée vive... un frère, queque chose de même??? Le chien, peut-être? Le chien que vous aimiez pis qui est mort direct sous vos yeux, en-d'sous des roues d'un char, non, d'un autobus? Ah oui, ça c'est bon! Et pis ma mère. Han, ma mère? Le mariage obligé, le sentiment de pas être trop honnête, mais dans c'temps-là, han? Queque chose qui ferait genre: «tapon-qui-a-bon-cœur-pis-honnête-à-se-faire-fourrer»? Ça serait bon ça, pour vous.

ANDRÉ

On va laisser faire si ça t'fait rien.

STEVE

Pas vraiment, non. Pour être franc, comme vous dites, j'commence à avoir du fun, à apprécier vot'présence. Ça l'air qu'on peut pas avoir du fun ensemble... c'est toujours quand un écœure l'autre qu'on a du fun. Ben là, c'est mon tour. Y aime pas ça, han? Y aimait mieux exposer ses théories, sa compréhension pis ses bons sentiments. Ben c'est d'même le dialogue, y va l'apprendre. C'pas toute d'les imaginer dans sa tête ses rencontres avec son grand garçon, faut s'les taper aussi.

ANDRÉ
En effet.

STEVE
Pis y souffre! Pis y toffe! Qu'y est touchant! Y va pouvoir dire qu'y en a bavé, qu'y en a enduré pour essayer de l'aider, son fils. Qu'y aye pas besoin d'son aide, ça y est jamais passé par la tête par exemple. Qu'on puisse se passer d'lui, ça, c'est inimaginable. Vous avez pu vous passer d'moi pendant douze ans, faites donc l'boutte de chemin qui vous reste sans moi, sans mon sauvetage, sans mon amour.

ANDRÉ
Mais pas sans ta haine, ça l'air.

STEVE
En quelque sorte, ouain!

ANDRÉ
Bon, ça va faire la délinquance. Fallait qu'ça sorte, c'est faite, c'est parfait. Là, tu vas t'asseoir, pis on va...

STEVE
Comment ça «C'est faite»? De quel droit vous venez juger d'mes sentiments? Allez-vous m'chronométrer en plusse? Allez-vous décider de toute? Savez-vous qu'y a du monde qui se sont faite tuer pour ben moins qu'ça par des gars ben moins violents qu'moi à part de t'ça?

ANDRÉ
Steve, arrête, tu m'fais pas peur. Tu m'donnes l'impression d'avoir besoin d'une fessée pis c'est toute.

STEVE

Mon beau-père est pas là! Y resse jusse mon vrai père pis ça gâterait son image!

ANDRÉ

Y t'battait, c'est ça?

STEVE

Y sortait son sexe le soir avant de m'coucher pis y m'disait d'faire comme si c'tait du bonbon.

ANDRÉ

Tu m'niaises là?

STEVE

Y voulait que j'couche avec ma demi-sœur devant lui. Jusse à partir de ses huit ans, par exemple: c'tait pas un monstre quand même.

ANDRÉ

Steve! C'est sérieux. T'es accusé de meurtre.

STEVE

Soupçonné, monsieur! Soupconné, pas encore accusé.

ANDRÉ

Y vont l'faire, ta mère est enragée.

STEVE

Mon père avec. Y avait jusse mon beau-père qui était correque.

ANDRÉ

Steve, essaie de comprendre: c'est pour ton bien, pour te...

STEVE

Mon bien mon cul! C'est **votre** fils, c'est **votre** passé, c'est **votre** problème.

ANDRÉ

Pis toi, t'en as pas?

STEVE
J'vous les conterai pas certain!

ANDRÉ
Y aurait-tu quelqu'un que t'aurais envie d'voir?

Silence.

ANDRÉ
Crois-moi ou non, j't'en voudrai pas de pas prendre mon aide. Si quelqu'un peut t'aider pis qu'tu l'sais, dis-moi-le, j'vas aller l'chercher.

STEVE
J'ai pas besoin d'aide. Y peuvent m'enfermer si y veulent.

ANDRÉ
Tu dis ça parce que t'es jeune pis révolté. Attends d'savoir comment c'est précieux être jeune et libre.

STEVE
C'est précieux pour vous parce que vous l'avez pus. Vous avez pas remarqué que c'est seulement c'que vous perdez qui devient précieux? C'que vous avez vaut rien pour vous tant qu'vous l'avez.

ANDRÉ
Grosse philosophie ça, mon Steve!

STEVE
Ça s'appelle le sens des réalités.

ANDRÉ
Essayes-tu d'me dire que j'avais un fils pis qu'c'est seulement une fois que j'l'ai eu perdu qu'y a pris d'la valeur pour moi?

STEVE

Non. Ça c'est votre raisonnement de père coupable. Pas le mien.

ANDRÉ

Si c'est c'que tu penses, tu t'trompes. T'avais d'la valeur quand t'étais là, avec moi. Pas jusse une fois absent.

STEVE

C'est votre raisonnement, j'vous dis, pas l'mien.

ANDRÉ

J'ai jamais pu remettre les pieds dans l'bois sans penser à toi. J'ai jamais pu refaire une marche dans l'bois après mon départ.

STEVE

Bon, c't'assez! Vous reviendrez demain m'conter vot'vie. Le thérapeute a sa journée, là. Vous avez pas payé pour deux séances.

ANDRÉ

O.K., O.K., j'm'en vas. J'voudrais jusse te dire une chose: quand ta mère m'a appelé, quand a m'a dit c'qui était arrivé, j'tais ben content d'avoir enfin une raison de revenir te voir. Pis j'espérais qu't'aurais besoin d'moi. J'en avais envie. Pis besoin. T'as raison, c'est ma vie à moi que j'essaye de régler en réglant tes problèmes. C'est ma façon d'essayer d'me reprendre. T'as raison, je l'sais qu'on se reprend pas, qu'on reprend rien dans vie, que des fois y est trop tard pis c'est toute. Pendant douze ans, j'ai pensé qu't'étais ma raison de vivre. J'me disais que quand j'te reverrais, je saurais p'tête un peu pourquoi j'suis ici, sa terre à essayer d'trouver ça intéressant. Y a pas une recherche, pas une femme, pas une aventure qui m'a donné l'impression qu'ça valait la peine. Rien.

Le soir, quand j'me couche, que j'approche ou
non d'une découverte, d'une vérification
importante ou même d'une possibilité d'indice,
le soir en m'couchant, ça finit toujours par: à
quoi ça sert? Hier, quand chus rentré à l'hôtel,
quand j'ai réalisé que tout c'que j'savais faire
pis dire c'tait des lieux communs... C'est vrai
que j'essaye de m'donner d'l'importance en
t'inventant un passé déchiré, parce que j'ai
peur d'avoir rien faite dans vie. Même pas un
enfant si y peut si bien s'passer d'moi.

STEVE
Mon père est mort.

> *André le regarde stupéfait, inquiet.*

ANDRÉ
Tu veux dire que... Bernard?...

> *Steve sourit, détendu. Il fait non, le
> montre du doigt, doucement.*

ANDRÉ   *(Murmure.)*
Moi?

> *Steve fait oui.*

ANDRÉ
Moi? Chus mort? Non, non, pas encore. J'ai l'air
mort de même... Comme j'avais l'air parti, mais
sans l'être.

STEVE
Si vous aviez été là, on l'aurait su. Vous avez

choisi d'être mort, c'est d'vos affaires. Moi,
j'ressuscite personne.

ANDRÉ
Pis t'aideras personne non plus, han?

STEVE
Pas un mort, certain.

ANDRÉ
Tu m'en veux plusse que j'pensais.

STEVE
Normal, comme vous dites.

ANDRÉ
J'sais pas où t'as pris c't'humour-là.

STEVE
Si c'est d'mauvais goût, ça doit être Bernard.

ANDRÉ
Cout donc: l'aimais-tu c't'homme-là?

STEVE *(Moqueur.)*
Ça serait ben l'boutte, han?

ANDRÉ
Non, j'serais capable de comprendre...

STEVE
Voulez-vous que j'vous dise? Vous êtes pas
capable de rien comprendre. Pis surtout pas
quand vous l'dites. Vous êtes le genre de gars
qui comprend toute avant d'savoir c'qui
s'passe. Le genre de gars qui s'meurt de peur
d'en apprendre sur lui.

ANDRÉ
Ton genre, quoi? T'as l'air d'en savoir plus long
que tout l'monde, toi. Pis de pouvoir le servir à
tout l'monde.

STEVE

J'vous ai pas supplié de venir ici. Pis j'vous retiens pas non plus.

ANDRÉ

Non. J'tais venu aider mon fils. J'ai trouvé une brute qui me déteste pis qui me vouvoie.

STEVE

On vouvoie les étrangers, c'est mon père qui m'a appris ça.

ANDRÉ
Celui qu't'as tué?

STEVE

J'les ai tué tous les deux. C'est rare, han? Un double parricide. J'vas sans doute être inscrit dans l'Guiness.

ANDRÉ

Peut-être que tu fais l'matamore, mais tu m'auras pas avec ton air de... de...

STEVE

De m'en crisser? C'qui est faite, est faite. J'pleure pas sus l'passé, moi. J'vis avec.

ANDRÉ

Attends d'en avoir plus long, tu vas peut-être vivre moins confortable.

STEVE
Deux meurtres, c'pas pire.

ANDRÉ

J'te crois pas. Pis c'est pas parce que tu fais pas ton possible, mais j'te crois pas. Pourquoi tu t'obstines, je l'sais pas, mais tu l'as pas tué.

STEVE
Pis l'autre? Le premier?

ANDRÉ

C'est p'tête cel-là qu't'es t'en train d'avoir.

*Il ramasse les chaises doucement, pose
la cartouche de cigarettes près du mur.*

ANDRÉ

J't'en avais emprunté hier.

STEVE

Si à chaque fois qu'vous remettez d'quoi vous
l'multipliez d'même, ça va vous coûter cher.

ANDRÉ

Tu sais ben que j'essayais d't'acheter voyons!
Quand j'tais jeune, on aurait fait ben des
bassesses pour des cigarettes.

STEVE

Ça fait longtemps.

ANDRÉ

Oui... Oui, Steve, ça fait longtemps. C'tait avant
qu'tu naisses. Avant. Quand j'tais jeune pis
baveux pis dur comme toi. Quand j'pensais
qu'la vie plierait devant moi.

STEVE

Moi j'pense pas ça.

ANDRÉ

Aie pas peur, tu me ressembles pas. Pas tant
qu'ça. J'pense même que j'ai dû souhaiter que
tu sois comme ça: dur.

STEVE

J'pense que vous avez décidé que j'ferais
l'affaire, peu importe c'que j'suis.

ANDRÉ
J'pense qu'on n'est pas fait pour s'entendre.

STEVE
Too late!

> *André le regarde. Un temps.*

ANDRÉ
Je l'sais pas. Probablement.

STEVE
C'pas moi qui va vous donner vot'raison de vivre.

ANDRÉ   *(Sourit, mais triste.)*
Je l'sais. On donne pas d'raison d'vivre au monde qu'on tue, han? Salut, mon gars. J'vas revenir, tu peux y compter.

> *Il sort. Steve se laisse descendre contre le mur, épuisé. Il regarde la cartouche de cigarettes (exactement la sorte qu'il fume), il tend le bras mais il est juste un peu trop loin pour l'atteindre.*

> *On entend les talons d'Aline. Il ne bronche pas. Elle entre, vient s'asseoir à côté de lui. Il la regarde, elle attend.*

> *Il lui retire ses lunettes doucement, les pose par terre puis met sa tête sur ses genoux. Elle caresse doucement ses cheveux sans parler.*

STEVE
Mon vrai nom, c'est Yves. Ma mère aimait pas

ça. Avant qu'y meure, mon père m'appelait Yves. Ma mère m'appelait Steve.

ALINE
T'aimais mieux quoi?

STEVE
J'aimais mieux Runner à cause de Road Runner. *(Un temps.)* Y est revenu.

ALINE
Pis?

STEVE
Y fait ben ça. Y est convaincant.

ALINE
Bon...

STEVE   *(Se soulève pour la regarder.)*
Ça t'choque pas?

ALINE
Pourquoi?

STEVE
Y va t'voler ta job.

ALINE
Si y a fait mieux qu'moi...

STEVE
Tu vas l'laisser faire? Tu vas t'en aller! T'es vraiment choquée, han?

ALINE
J'vois pas pourquoi tu ferais les frais d'mes limites. *(Elle y pense soudain.)* J'ai tes cigarettes.

> *Elle les sort. Steve lui montre la cartouche au bout du mur.*

ALINE
Tu l'avais ben dit.

STEVE
Oui, madame.

Il ouvre le paquet qu'elle lui a donné.

STEVE
Fumes-tu?

ALINE
Non.

STEVE
T'es pas willing, la sœur.

*Il fume, s'éloigne, la regarde en sou-
riant.*

STEVE
J'ai pensé à d'quoi.

ALINE
Quoi?

STEVE
Es-tu vierge? *(Elle sourit.)* Pas d'farce, es-tu
vierge? J'ai jamais eu d'vierge.

ALINE
T'as pas dû avoir grand-chose, à ton âge.

STEVE
Plusse que toi chus sûr. Combien, toi?

ALINE
Chus pas sûre d'aimer ça.

STEVE
Baiser?

ALINE
Parler de t'ça.

STEVE
À cause des pisseuses?

ALINE
Sais-tu combien chus payée pour parler d'cul
avec toi?

STEVE
Cher j'espère. Envoye: combien?

ALINE
T'essayes de m'troubler pour pas parler
d'l'autre?

STEVE
Non, c't'une idée qu'j'ai eue d'même.

ALINE
Ça veut dire que l'transfert marche bien, es-tu
content?

STEVE
Encore une patente de psy?

ALINE
Exactement.

STEVE
S'tu din normes que t'en ayes envie?

ALINE
Tu penses ça?

STEVE
Ben... t'as pas dit non.

ALINE
J'ai pas dit oui.

STEVE
Ni combien. Combien?

ALINE
Steve...

STEVE
Come on... combien? Jusse un chiffre, pas de détail. Tu peux conter une menterie si t'aimes mieux.

ALINE
Trente-six.

STEVE
T'aurais pu dire soixante-neuf tant qu'à y être! T'as pas l'sens du symbole.

ALINE
J'y ai pas pensé!

STEVE
Ça doit être deux d'abord: un pour faire la job, l'autre pour vérifier.

ALINE
Toi, ça doit être neuf.

STEVE
Pour ben vérifier que t'aimais pas ça pis qu'c'est pas l'cul qui t'a faite sortir des sœurs.

ALINE
Neuf parce que tu t'meures d'envie de pogner les deux chiffres.

STEVE
Tu m'prends vraiment pour un scout, han? Qu'est-ce que t'aimais l'mieux chez les sœurs?

ALINE
L'encens pis les chants.

STEVE

T'es granola.

ALINE

J'ai pensé à d'quoi, moi aussi.

STEVE

On en parlera demain, O.K.?

ALINE

Y t'a eu ton père, han?

STEVE

Y m'a pas eu, chus fatiqué c'est toute. M'écœure moi, les conversations.

ALINE

Si Bernard avait un fusil... mettons pour la chasse.

STEVE

Surtout les conversations de chasse ou de pêche.

ALINE

Mettons que c't'un chasseur. Y part dans l'bois avec son fusil. Y fait tout l'temps ça.

STEVE

Tu devrais t'mettre à écrire, han?

ALINE

Y va, sans l'savoir, dans un secteur fréquenté par des faucons. Ou encore une place à nid de faucons, avec des œufs. Mettons qu'y a quel- qu'un qui attend là depuis quatre heures, peut- être même plusse. Y attend le retour d'là mère faucon.

STEVE

Mon père m'a dit de quoi d'bizarre, ça t'inté- resse pas de l'savoir?

ALINE

Ou du père faucon, t'as raison. Mais Bernard
est pas ben bon din z'oiseaux, y sait pas faire la
différence, ça l'a jamais intéressé. Mettons qu'y
voit l'faucon avant l'autre, celui qui attend
depuis des heures.

STEVE   *(Plus fort qu'elle.)*

Y m'a dit que j'voyais très bien, très loin, une
vue exceptionnelle.

ALINE

Écoute: y voit Bernard viser, y crie, y s'précipite.
Bernard comprend pas, y fait un faux mouvement. Peut-être qu'y a une bataille, j'sais pas,
mais c'est Bernard qui tombe mort. Le faucon
est sauvé. Le guetteur prend le fusil et rentre à
maison sans rien dire: on tue pas un beau-père
pour sauver un faucon, han?

> *Steve la regarde puis, impassible, il*
> *applaudit sans enthousiasme. Il*
> *ramasse les lunettes d'Aline, les lui*
> *tend.*

STEVE

Mets tes lunettes, la sœur, t'hallucines.

ALINE

Qu'est-ce que t'en dis?

STEVE

Celles d'hier te faisaient mieux.

ALINE

Steve... c'est une théorie comme une autre.
Mais y ont besoin d'une théorie.

STEVE

J'vois ça. Tu l'mérites ton gros salaire.

ALINE

Ça m'tente pas de t'voir enfermer pour dix-quinze ans.

STEVE

T'as peur de perdre un bon amant, han?

ALINE

En plein ça.

STEVE

Tu m'crois jamais quand j'te parle sérieusement, pourquoi j'te conterais c'qui est arrivé?

ALINE

Pour m'aider.

STEVE

À quoi? À garder ta job?

ALINE

À t'éviter dix-quinze ans...

STEVE

Dis-moi qu't'as envie d'moi pour mourir, que t'as hâte que j'soye pus ici pour pouvoir te faire sauter comme tu rêves depuis des années, pis j'vas t'croire. Mais viens pas m'sauver toi avec parce que chus jeune pis qu'c'est précieux même si je l'sais pas, O.K.? Des martyrs généreux, j'en ai plein l'casse.

ALINE

O.K., Steve. Ça m'ferait personnellement du bien que tu sortes d'ici.

STEVE

Pourquoi?

ALINE
Parce que tu m'émeus.

STEVE
J't'émeus?

ALINE
Ouain.

STEVE
Pas très sexy, ça.

ALINE
Moi non plus, fa que...

   Elle se lève.

STEVE
Déjà? Tu prends ça lousse aujourd'hui, tu fais
pas tes heures.

ALINE
J'vas écrire mon rapport.

STEVE
Aye! J't'ai dit mes deux noms, tu pourrais p'tête
me dire le tien.

ALINE
Aline.

STEVE
Aline? Ah ben.. Aline qui?

ALINE
Aline Jobin. Pis c'est pas nécessaire de faire la
farce classique: Aline la djobine.

STEVE
Pas besoin d'rentrer chez les sœurs pour chan-
ger d'nom. T'aurais pu t'marier.

ALINE

Ou m'en inventer un autre, comme toi. Alice, peut-être?

STEVE

Tu dis ça à cause du miroir?

ALINE

Tu sais qu'j'en connais pas beaucoup d'gars qui ont lu *Alice au pays des merveilles*?

STEVE

T'en connais pas beaucoup, point.

Un temps.

STEVE

Tu m'aimes-tu?

ALINE

Certain que j't'aime. Tu l'demanderais pas sans ça.

STEVE

Moi aussi j't'aime.

ALINE

On se d'mande ben pourquoi.

STEVE

Tu penses que chus pas capable?

ALINE

J'pense que t'as dû ben essayer de pas être capable. C'est toffe, han?

STEVE

As-tu essayé d'avoir la foi un coup qu'tu l'avais perdue?

ALINE

Comme une folle. J'pouvais pas croire ça d'moi.

STEVE

Sais-tu c'que j'ai trouvé d'pire dans Bible? *(Elle fait non.)* C'est quand y sont chassés du paradis terrestre. Ça s'passe au début en plusse. Ça m'a découragé ben raide: mal construit c't'histoire-là! J'ai toute lâché là.

ALINE

Ça t'en prenait pas gros.

STEVE

Le paradis terrestre, tu trouves pas ça gros? La félicité totale?

ALINE

Veux-tu j'te dise? J'pense que j'y ai jamais cru. Ça fait que, quand ils l'ont perdu, ça m'a pas faite un pli.

STEVE

Quelqu'un t'a-tu déjà faite accroire que t'étais son paradis terrestre?

ALINE

Mon dieu, non. Toi?

STEVE

Ouain... pis j'y ai dit que c'tait dans sa tête.

ALINE

Tu l'pensais-tu?

STEVE

C'tait ben dans mienne.

ALINE

Le paradis?

STEVE

L'**idée** du paradis. Jusse l'idée, puisqu'on peut

pas vérifier. L'idée qu'on s'fait des raisons qu'on a d'vivre. L'idée qu'on s'fait du bonheur, du paradis. L'idée qu'on s'fait de c'est quoi, vivre.

ALINE
C'est jusse des idées?

STEVE
Qu'est-ce que ça serait d'autre? Ça marche pareil. On s'fait des accroires, on vit un bout d'temps avec, y s'écrasent, y font pus, on change d'accroire pis on fait un aut' bout. Des fois, on a d'l'imagination, des fois on reproche aux autres de déranger nos accroires. C'est tout. Pas plus compliqué qu'ça.

ALINE   *(Après un temps.)*
J'ai rêvé à toi la nuit passée.

STEVE
Pis?

ALINE
Tu t'élevais tranquillement et tu t'mettais à voler, à planer, haut, toujours plus haut dans le ciel.

STEVE   *(Ravi.)*
Pis j'riais?

ALINE
Silencieux. Tu me regardais d'en haut. T'étais loin, loin, de plus en plus loin.

STEVE
C'tu vrai? Tu l'inventes pas?

ALINE
J'te jure. J'aurais aimé mieux rêver queque chose de plus scabreux, mais c'est ça qu'j'ai rêvé. Ça doit être ça, mon fantasme: te voir voler, planer, te voir t'enfuir d'ici.

STEVE
Pourquoi tu m'aimerais si j'peux même pas être ton amant? Si chus ni ton fils, ni ton frère, ni ton père? Pourquoi madame la sœur? Peux-tu m'dire ça? Chus ton nouvel accroire?

ALINE
Chus comme ça, moi: j'aime le monde libre, pas obligé de m'donner queque chose. J'aime les oiseaux libres parce qu'y m'permettent d'aller dehors les regarder pis sentir le vent sur mon visage. Y m'permettent de rêver jusse parce qu'y existent.

Un temps.

STEVE
Si j'pouvais te l'dire, j'te l'dirais à toi. Tu l'sais, han?

ALINE
Tu peux pas? Même en secret juré?

STEVE
Non Aline.

ALINE
Même pas si c'est Yves qui l'dit à Alice? Comme une histoire pas vraie?

STEVE
Même pas.

ALINE
Même pas demain, ou ce soir, tard?

STEVE
J'peux pas... Y a un paradis terrestre à protéger.

ALINE
Y en reste de t'ça?

STEVE
Un tout p'tit! Un p'tit déglingué, tout brisé, tout cassé. Un tout p'tit carré d'jardin grand comme rien. C'est presque pus un Paradis tellement c'est rendu p'tit. On y touche pas, O.K.?

> *Elle retire ses lunettes, s'assoit contre le mur.*

ALINE
Viens. On va jusse rester ici un peu avant d'aller conter des menteries à l'arbre de la science, du bien et du mal.

STEVE
Veux-tu j'te dise? T'es la première vraie grande personne que j'rencontre.

ALINE
À part toi.

> *Il rit, revient près d'elle. L'éclairage baisse.*

* * *

> *Quand l'éclairage revient, Steve est tout seul. Il dessine à la craie sur le mur de briques. Il dessine des faucons, des têtes, des silhouettes, des faucons en vol, en chasse, endormis. Il travaille sans arrêt, follement. Il est complètement absorbé par son travail.*

Aline arrive doucement. Il continue sans la regarder. Il ne voit pas qu'elle est différente, plutôt triste. Elle garde les mains derrière son dos. Elle tient quelque chose qu'elle ne montre pas.

ALINE
Steve?

STEVE   *(Sans se retourner.)*
Ouain?

ALINE
Steve... Frédéric a parlé.

Steve s'arrête du coup. Il se retourne vers elle, bouleversé, inquiet. Il la fixe, cherche à comprendre l'ampleur de la nouvelle.

Elle lui tend son jacket de cuir qu'elle tenait derrière son dos.

ALINE
Y a craqué.

STEVE
Qui l'a aidé? Qui a faite ça?

ALINE
Steve... Frédéric, c'pas toi. Y était pas capable. Y pouvait pas garder ça pour lui. Y est allé à police. Y a toute conté.

STEVE
Pis y s'sont jetés dessus comme une gang´de charognes pour le dépecer pis l'achever? Han? Y vont l'analyser, l'défaire? Y a onze ans! Jusse onze ans!

ALINE
Tu peux pas l'protéger malgré lui.

STEVE *(Hors de lui.)*
Ah non? Pourquoi pas? Savais-tu qu'y a des
œufs d'faucon qu'on fait éclore en captivité?
Savais-tu qu'on appelle ça protéger l'espèce?
Savais-tu qu'les faucons survivent rarement à
leur premier automne? Savais-tu que si un
demeuré ou ben un delta-plane, un avion ou
ben un cerf-volant s'approchent d'un nid ça
peut faire partir les parents qui reviennent
jamais tellement y ont eu peur pis qu'les p'tits
meurent de froid pis d'faim? Savais-tu ça la
sœur?

ALINE
Tu pouvais pas faire plusse que c'que t'as fait,
quand même?

STEVE
Y a dit quoi?

ALINE
La vérité. Tu la sais.

STEVE
Y a dit QUOI?

ALINE
Y a dit qu'y l'avait tué. Tu seul. Dans le bois.
Avec son fusil de chasse.

STEVE
Par accident?

ALINE
Non, y a pas dit ça.

STEVE
Par exprès?

ALINE
Non plus.

STEVE
Y leur laisse le choix!

ALINE
Y est trop petit pour savoir ça.

STEVE
La mère, elle, a dit quoi?

ALINE
A dit non.

STEVE
Tout l'monde le croit?

ALINE
Pourquoi pas?

STEVE
Tu l'as vu?

ALINE
Oui.

STEVE
Y est petit, han?

ALINE
Ben qu'trop.

STEVE
Ben qu'trop pour eux autres. Si j'disais quand même que c'est moi?

ALINE
Tu gagneras pas. Y est tellement défait. Tu feras jamais aussi vrai qu'lui.

Steve s'assoit, défait lui aussi.

STEVE

Y va avoir froid. Y comprendront jamais. Y vont
l'traquer, y faire peur. Y a... y a-tu moyen
d'rendre ça moins pire?

ALINE

Ça quoi? Le procès? Y en aura pas, y est trop
petit.

STEVE

Non, les soins. Y vont l'soigner pour l'aider à
devenir un homme normal. Tu sais ben,
l'affaire la plus dangereuse au monde.

ALINE

Peut-être que l'affaire la plus dangereuse pour
lui, c'tait d'se taire pis de t'laisser faire.

Steve la regarde en silence. Un temps.

STEVE

Y l'aimait pas.

ALINE

Qui?

STEVE

Bernard. Y pouvait pas sentir Frédéric. Y a
jamais cru que c'tait l'sien. Y était un peu épais,
Bernard. Y fessait sur Frédéric quand y pognait
les nerfs.

ALINE

Y l'a tué pour ça?

STEVE

Ben non. Y l'a tué comme t'as dit dans ton
roman. Pour protéger mes faucons.

ALINE
Tes faucons?

STEVE
Pour Frédéric, les oiseaux c'était à moi. Y est
p'tit, Frédéric.

ALINE
Tu l'as vu? C'pour ça qu't'as dit que c'tait toi?

STEVE
Non la sœur. J'ai rien vu. J'te l'ai dit, l'espèce est
en voie de disparition. J'voulais qu'y passe son
premier automne. *(Un temps.)* Moi, quand j'ai
été chassé du paradis, y a Frédéric qui est
arrivé. J'avais lui. Lui, pis les oiseaux. Lui, y
avait jusse moi. On jouait à une affaire. Tu sais,
les bébés oiseaux quand y ont peur, y font un
cri sans arrêt, un p'tit cri de détresse, la tête
sortie du nid, complètement affolés, sûrs de
crever. Y font: tivi, tivi, tivi, tivi, tivi, tivi, pis
quand la mère entend ça, a revient à toute
vitesse pis a leur fait ben doux, ben ben doux:
agagan, agagan, agagan... Pis là le p'tit, c'est
comme si y entendait: chus là, chus là pour
toujours, chus là, aie pas peur... Pis l'bébé
s'calme pis y s'rendort. Si a vient pas la mère, y
va crier d'même jusqu'à en crever. C'est
d'même. Mais si on l'sait, pis si on fait agagan
comme du monde, le p'tit peut arrêter d'avoir
peur pis s'rendormir. Ça arrive qu'on peut
empêcher un oiseau d'mourir de désespoir de
même. *(Un temps.)* Ben p'tit, Frédéric faisait
tivi tivi tivi presque toutes les deux heures. Y
était ben inquiet, Frédéric.

ALINE
Pis ça marchait? Tu réussissais à l'rendormir?

STEVE *(Sourit.)*
Certain! J'tais ben bon. J'y flattais la tête. Au

début, y avait jusse un p'tit duvet. J'y flattais a tête en disant agagan, agagan, agagan. Pas besoin d'suce, y s'calmait. Y me r'gardait un peu avec ses grands yeux d'bébé qui y mangeaient la face, y faisait un gros soupir mouillé pis y s'endormait avec ma main sur sa tête. Ça faisait toute chaud. *(Un temps.)* Quand j'l'ai rencontré dans l'bois, y était complètement perdu, y s'accrochait partout. Y s'cognait dans les arbres, j'l'avais jamais vu aussi épeuré. Comme un oiseau dans un filet qui s'brise les ailes à essayer d'partir à voler pareil... Y vont-tu l'mettre en prison? Y vont-tu l'enfermer?

ALINE
On sait pas encore. C'est la Protection de la jeunesse qui décide, ça c'est sûr.

STEVE
Qui va y faire agagan, asteure? Qui va l'rassurer?

ALINE
Peut-être qu'y peut s'souvenir de tes agagan pis qu'ça peut l'rassurer?

STEVE
Ben non... y sera pas capable de s'en souvenir tu l'sais ben! Y va crever là!

ALINE
Steve... quand t'avais cinq-six ans pis qu'tu faisais agagan, comment ça s'fait qu'tu savais l'faire? Y a onze ans. Y est ben plus grand. Y va savoir comment, voyons!

STEVE
C'est pas pareil, y a rien eu, lui!

ALINE
Rien eu?

STEVE
Moi, j'avais eu mon tour. J'avais eu ma chance.
J'ai volé, moi, la sœur!

ALINE
Volé?

STEVE
Oui, madame la sœur, comme dans ton rêve.
Les gens pensent toujours qu'y faut une
enfance parfaite, des parents parfaits. Y faut
jusse voler une fois pis s'en souvenir, pis
c't'assez. Ça peut suffire. Ben p'tit, moi, j'ai
volé. Ben p'tit, y a quequ'un qui m'faisait agagan. Pis y m'emmenait dans l'bois, pis j'faisais
des grands bouts sur ses épaules, mes mains
dans ses cheveux, mes pieds dans ses mains,
pis des fois j'me penchais pis j'respirais dans
ses cheveux pis ça sentait chaud. Pis des fois y
m'prenait pis y m'faisait voler, haut pis fort, pis
j'touchais le ciel, chus sûr, pis j'criais comme
un oiseau qu'j'étais. J'ai jamais oublié l'odeur
de ses cheveux quand j'me penchais vers lui.
J'me fourrais la face au fond d'ses cheveux pis
on aurait dit du foin d'odeur l'été au soleil. On
aurait dit l'odeur d'la terre pis du ciel mêlé. Pis
quand j'me redressais, j'tais haut, le plus haut
du monde entier, presque dans l'ciel pis j'pouvais toucher aux nuages. Pis j'te jure que quand
j'planais, y devait y avoir des bouttes où y
m'lâchait pis où je volais pour vrai. Libre, fort,
pis vite, vite. Comme un faucon qui pique. Avec
du vent plein la face, du vent plein l'nez pis la
bouche. Pis ses bras à lui qui m'tenaient.

Un temps.

J'tais trop p'tit pour faire voler Frédéric. La mère voulait pas. A pensait tout l'temps que j'voulais l'tuer, le pitcher dins airs.

ALINE
Mais tu y faisais agagan...

STEVE
Oui, mais... j'pense qu'y aurait aimé mieux voler.

ALINE
T'as faite c'que tes bras t'permettaient.

STEVE
Une fois, j'ai faite de quoi... *(Il sourit.)* Y a six mois, j'ai emprunté la 750 à un gars, j'ai pris Frédéric avec moi pis chus monté à cent soixante sur l'autoroute. As-tu déjà foncé à cent soixante sur une moto, le vent dans face, les larmes plein les yeux tellement ça fesse pis un Frédéric complètement fou de joie contre toi? La face pleine de vent pis le paysage qui t'défile des deux bords d'la tête à toute vitesse? J'pensais qu'on allait lever, j'pensais qu'ça y était. Comme quand tu cours ben vite, au top de ta puissance pis qu'tu t'dis: là ça y est, le prochain step, j'lève, j'vas voler. *(Il la regarde, sourit.)* J'gage que tu dépasses même pas cent sur l'autoroute. J'gage que t'as la chienne à cent dix, la sœur?

ALINE
Chus pisseuse.

STEVE
Une ex!

ALINE
Ouain. Une ex qui a pas appris à peser sus l'gaz.

STEVE
Grouille. C'est l'fun, tu vas voir.

ALINE

Chus pas un faucon, moi. Chus une sorte de dinde. Une grosse dinde jusse bonne à faire cuire à Noël.

STEVE

Avant, les dindes volaient.

Il va continuer son dessin.

ALINE

Tu y vas pas? Tu peux, tu sais. T'es libre.

STEVE

T'as hâte que j'parte?

ALINE

J'veux t'voir voler.

STEVE

Veux-tu j'te conte ton rêve?

ALINE

Quel rêve?

STEVE

Lui qu't'as faite pis qu't'as pas conté.

ALINE

Non.

STEVE

J'tais avec toi dans un lit. Pis c'tait pas fou. Pis c'tait pas débile ou ben indécent ou même aussi laid qu'tu l'imagines tout l'temps. Y avait les draps sur moi. Pis quand tu m'as laissé t'toucher, les draps se sont soulevés, pis y s'sont mis à lever, lever comme remplis de brise, remplis d'air, comme des grands oiseaux blancs qui levaient dans l'ciel. Pis t'avais pus peur.

ALINE   *(Se défend.)*
Non.

STEVE

Oui madame la sœur. Oui, c'est d'même ton rêve.

ALINE   *(Murmure.)*
Non.

STEVE   *(Très doucement.)*
Oui Alice. Pourquoi les draps voleraient pas un peu, han? Pourquoi personne te ferait agagan, à toi? Pourquoi tu monterais jamais à cent cinquante?

ALINE   *(Très bas.)*
Parce que chus mal foutue?

STEVE

T'es la première femme qui m'aime, le savais-tu?

ALINE
Non.

STEVE

La première femme qui m'a aimé est pas mal foutue, O.K.?

ALINE
O.K.

STEVE

Est un peu pognée, c't'une ancienne sœur, mais est pas mal foutue. C'est vrai, han, qu'tu m'aimes?

ALINE

C'est déjà assez ridicule de même.

STEVE

Maudite sœur! Tu l'diras pas, han?

ALINE

Pas dans mon contrat.

STEVE

Tu m'as guéri d'ma paranoïa meurtrière, t'es pas contente?

ALINE

Oui, Steve, asteure vas-y.

STEVE

Viens avec moi.

ALINE

Es-tu fou?

STEVE

Viens. On va aller voir les draps devenir des oiseaux. J'prendrais ta tête dans mes mains pis j't'embrasserais, t'aurais jusse à fermer les yeux si t'as peur. J'te ferai agagan.

> *Il s'approche d'elle, la regarde. Elle est infiniment triste. Il replace une couette de cheveux.*

STEVE

L'ancienne sœur veut pas voler.

ALINE

L'ancienne sœur a cinquante et un ans, Steve.

STEVE

A veut pas voler avec des p'tits jeunes. Est snob.

ALINE

Non, est pas snob. A veut jusse survivre au paradis terrestre. Pas sûre que j'tofferais si j'tais chassée de cel-là.

STEVE
C'pas commencé pis t'es rendue à fin.

ALINE
C'est l'âge.

STEVE
Non, c'est la femme.

ALINE
C't'une sœur, une pisseuse.

STEVE
C't'une femme. Pourquoi mettre des talons hauts sans ça?

ALINE
Une sœur déguisée en femme, déguisée en vieille. Tu peux pas sauver tout l'monde, Steve. T'en as assez faite pour moi.

STEVE
Pis pour moi?

ALINE
Pour toi aussi.

STEVE
C'est tout? Même rien? Même un baiser?

        Elle fait non.

STEVE
Petit?

        Elle fait non.

STEVE
T'es vraiment une grande personne, han?

ALINE
Y en faut!

> *Steve la regarde, fait doucement: « tivi,
> tivi, tivi, tivi»; elle met la main sur sa
> tête, flatte doucement en faisant: «aga-
> gan, agagan.»*

> *Il la serre très fort. Elle le lui rend bien,
> se détache de lui et sort très vite. On
> entend ses talons décroître. Steve
> retourne au mur, fait un oiseau, puis,
> doucement, se met à siffler le fameux
> chant du pinson. Il dessine un tout
> petit oiseau.*

> *André arrive sans bruit. Il s'appuie au
> mur jardin et regarde Steve faire. Steve
> le voit, mais continue.*

> *André a l'air d'un autre homme main-
> tenant qu'il n'a plus à sauver Steve.
> Plus détendu et plus fragile.*

> *Il regarde les faucons, ravi, fasciné.
> Steve s'arrête et l'observe.*

ANDRÉ
Peregrine Falcon.

STEVE
Pèlerin en fançais.

ANDRÉ
Oui. Vagabond, migrateur.

STEVE
Qui descend jusqu'au Sud des États-Unis
l'hiver.

ANDRÉ *(Sourit.)*
Mais qui revient, lui.

STEVE
Pas toujours.

ANDRÉ
Y en a encore?

STEVE
Deux, trois... y survivent de peine et d'misère.

ANDRÉ
Comme tout le monde.

> *Un temps. Silence. André prend une craie par terre. Il dessine une tête de faucon.*

ANDRÉ
À trois kilomètres, y peut voir sa proie. Si nos yeux étaient aussi gros qu'les leurs, y auraient la grosseur d'un pamplemousse. C'est incroyable, non?

STEVE
Non... C'est nous autres les incroyables. Avec nos p'tits yeux qui voient rien.

> *André cesse de dessiner, regarde son fils.*

ANDRÉ
J'aurais dû l'savoir, han? J'aurais pas dû douter d'toi?

STEVE
Tes cheveux sont plus foncés qu'avant.

ANDRÉ
Tu penses?

STEVE
Ou ben c'tait l'soleil... j'sais pas.

ANDRÉ
Steve...

STEVE
Avant, tu m'appelais Yves.

ANDRÉ
Tiens! C'est vrai... tu t'souviens de ça?

STEVE
Pourquoi pas? C'est mon nom.

ANDRÉ
J't'ai quand même pas appelé d'même longtemps. C'tait not' guerre à ta mère pis moi.

STEVE
Pour moi, c'tait jusse mon nom.

ANDRÉ
J'pouvais pas faire autrement, tu sais.

STEVE
J'aimerais ça qu't'arrêtes de t'excuser.

ANDRÉ
On s'parle pas souvent, y a des choses qu'y faut
dire des fois.

STEVE
Ouain. Y en a.

ANDRÉ
Ça m'rend malheureux d'penser que j't'ai pas
donné tout c'que j'aurais pu.

STEVE
Tu pouvais plusse?

ANDRÉ
Pas sûr.

STEVE
Parle-z-en pas d'abord.

ANDRÉ
Tu m'en veux, han?

STEVE
T'es mêlé. J'te reconnais pas, c'est toute.

ANDRÉ
Ah bon... C'est vrai?

STEVE
Si ça peut t'faire du bien, dis-toi qu'c'est correque, que j'en ai eu assez, que j'suis vivant pis grand. Pas complètement fucké comme tu pensais.

ANDRÉ
J'avais rêvé d'être proche de toi toute ma vie, de t'parler, aller aux oiseaux, t'aider.

STEVE
Tu l'as pas faite, c'est toute.

ANDRÉ
J'aurais voulu avoir le choix.

STEVE
Bon: les phrases de héros asteure. J'vas y aller, moi.

ANDRÉ
Où tu vas aller? Pas chez ta mère certain!

STEVE
J'ai dix-sept ans, j'vas trouver ça tu seul.

ANDRÉ
Chus venu t'offrir de venir vivre avec moi aux États-Unis. J'pense qu'on pourrait bien s'en-

tendre tous les deux. On va s'organiser une vie.
Si t'aimes mieux, j'peux revenir au pays, le
temps de clore ma recherche là-bas et de
trouver un laboratoire intéressant ici.

STEVE
J'ai dix-sept ans. Y est trop tard. Chus élevé là,
c'est fini.

ANDRÉ
T'es pas majeur.

STEVE
À cinq ans, j'tais majeur.

ANDRÉ
Écoute, on reviendra pas là-dessus. C'est
l'passé, c'est fait. Maintenant, on a l'occasion
d'se reprendre, on va...

STEVE
T'es vraiment un drôle d'homme.

ANDRÉ
Quoi?

STEVE
T'as l'air paniqué. On dirait qu'tu joues tes
dernières cartes.

ANDRÉ
C'est p'tête ça.

STEVE
Compte pas sur moi. J'peux pas.

ANDRÉ
Tu peux pas quoi? Venir avec moi?

STEVE
J'sais pas moi! Te pardonner à ta place, te faire
sentir d'autre chose que c'que tu sens.

ANDRÉ

Mais de quoi tu parles? J't'offre de venir avec moi aux États, j'te parle pas d'pardon. Qu'est-ce que tu veux que j'me pardonne?

STEVE *(Il montre les faucons.)*

Ça! D'avoir eu l'guts de t'laisser aller une ou deux fois dans ta vie pis de pas savoir si c'tait correque ou pas.

ANDRÉ

De quoi tu parles?

STEVE

C'est compliqué, han, être parent? C'est compliqué l'devoir? Tu voudrais que j't'en veuilles parce que ça voudrait dire que j't'aimais. J't'aimais peut-être pis t'en saurais rien. Qu'est-ce que tu sais d'l'amour? Pourquoi tu penses que Frédéric a faite ça? Comment t'expliques ça, toi?

ANDRÉ

Ben... euh... un moment d'aberration mentale, non?

STEVE

Pis si ç'avait été moi, c'tait d'la vengeance sadique parce que mon père m'avait lâché à cinq ans. Si tu savais comme ça me pue au nez vos p'tites théories psychologiques, vos p'tites explications cheap! Si tu savais comme chus écœuré d'rencontrer du monde qui s'console d'être minable en expliquant aux autres qu'y sont malades.

ANDRÉ

O.K. Steve, qu'est-ce que tu voudrais que je fasse? Explique-toi clairement.

STEVE

Que t'arrêtes de m'dire que c'est moi qui te pardonne pas quand c'est toi qui peux pas l'prendre.

ANDRÉ

Prendre quoi?

STEVE

Que t'es parti! Que t'as choisi d'partir. Que tu m'as laissé m'arranger avec ça. Pis que t'es même pas plus heureux d'même.

ANDRÉ

J'pensais toujours revenir. J'voulais revenir.

STEVE

Tu l'as pas faite!

ANDRÉ

Mais j'voulais, j'te jure...

STEVE

T'as pas trouvé l'chemin, t'étais perdu? Laisse faire. Laisse faire, O.K.? On fera pas la grande scène finale de réconciliation, tu vas prendre ton avion tout seul avec ta valise, ta déception pis l'sentiment qu'ton fils t'en a faite manger sans trop savoir quoi exactement. Pis là, comme tu vas souffrir, tu vas t'dire que t'as l'droit d'm'oublier. Pis pour tout dire, j'm'en sacre. Tu peux m'oublier. J'ai pas besoin d'tes remords. J'ai pas besoin d'un père à dix-sept ans.

ANDRÉ

J'voulais, mais y avait une femme dans ma vie. Une femme qui était pas prête à... Enfin, j'sais pas c'que t'aurais dit. J'voulais pas...

STEVE

Tu vas être classique jusqu'au bout, han? Si tu pars pas, j'vas finir par être gêné pour toi.

ANDRÉ

C'est pas ça que j'veux dire! Pourquoi j'arrive jamais à rien t'dire?

STEVE

Parce que tu penses que j't'haïs autant qu'toi.

ANDRÉ

J't'haïs pas, c'pas vrai.

STEVE

Non. Toi. Toi, tu t'haïs. J't'aimerais pis tu m'trouverais cave.

ANDRÉ

Y a une affaire que tu tiens d'ta mère, c'est sa façon de manier les mots, de tout rendre confus.

STEVE

Va parler avec elle, d'abord!

Il vient pour sortir par le côté cour.

ANDRÉ

Steve! Attends! J't'en prie, attends!

Steve s'arrête et reste de dos.

ANDRÉ

Pas comme ça, O.K.? Pars pas d'même, ça va m'ronger jusqu'à fin d'mes jours. Steve, c'est pas sûr qu'on se revoie. On pourrait peut-être essayer d'être honnêtes?

STEVE
Honnête?

ANDRÉ
Franc. J'parle pour moi, là. J'ai trop espéré c'moment-là pour le gaspiller, comprends-tu? J'ai trop attendu pour pas au moins essayer de t'parler, de te retrouver.

Steve se retourne vers lui.

STEVE
Retrouver qui?

ANDRÉ
Mon fils. Mon gars.

STEVE
Ça fait douze ans. Y était petit, y est grand. Y a pris des mauvaises habitudes, y aime du monde que t'aimerais jamais, y met du ketchup sur ses œufs, y laisse traîner ses affaires...

ANDRÉ
Tais-toi donc. J'te vois, là. C'est toi, pis ça m'convient c'que j'vois.

STEVE
J'aime une femme de cinqaunte et un ans.

ANDRÉ
Pardon?

STEVE
T'as entendu.

ANDRÉ
Tu dis ça pour me choquer? Pour me tester?

STEVE

J'dis ça parce que c'est vrai. A serait même trop vieille pour toi.

ANDRÉ

Tu... tu, euh... tu, y a-tu queque chose entre...

STEVE

J'couche-tu avec? C'est ça?

ANDRÉ

Si tu veux.

STEVE

Si j'veux ou ben si c'est ça?

ANDRÉ

C'est ça.

STEVE

Ça fait une différence, han, la consommation? Le corps souillé, marqué, le corps qui s'est commis, qui a osé. Ça fait une différence, han? C'est ça qui compte? Pis si Frédéric est pas mon fils mais qu'y a besoin d'un père pis qu'y a jusse moi, y faut l'laisser crever à cause que c'pas mon tour, que j'ai pas l'âge pis qu'c'pas normal? C'est ça? T'as été dans ta vie, dans ta crisse de vie plate, un père pendant cinq ans. C'tait ton top, c'tait tout c'que tu pouvais faire, tu l'as faite, parfait pour moi, merci à toi pis bonsoir. Comprends-tu ça? T'étais parfait. T'étais merveilleux. Un père incroyable, magnifique parce que tu t'forçais pas. L'amour était simple parce qu'y était là. T'es parti quand c'est devenu compliqué parce que c'est d'même pour toi. Tu pouvais pas plusse. J'ai pas besoin de plusse, peux-tu m'croire? J'prends c'que j'peux avoir pis je scène pas pour le reste, j'ai été élevé d'même. Quand y en a pus, j'change de talle. Quand on a peur, quand on com-

plique, quand les filets descendent, j'pars, j'vole
haut pis loin. C'est toi qui m'a appris ça,
l'pèlerin, pis tu sais même pas l'faire!

ANDRÉ

Non, c'est vrai, j'ai pas appris à voler, moi. Ni à
aimer, d'ailleurs.

STEVE

Fais attention: les occasions t'passent dans face
pis t'é vois pas.

ANDRÉ

J'ai pas tes yeux. Chus pas doué.

STEVE

Loser.

ANDRÉ

Moi? Voyons donc!

STEVE

Le loser aux grandes découvertes scientifiques.

ANDRÉ

C'est vrai pour Frédéric? Pour la femme?

STEVE

Qu'est-ce que ça peut ben faire?

ANDRÉ

C'est vrai qu'mon tour est passé, qu'y est trop
tard après douze ans? C'est vrai qu'tu viendras
jamais avec moi? Que ça finit maintenant, ici?

> *Steve s'approche de son père en le*
> *regardant.*

STEVE

Agagan... agagan... Est-ce que j'peux toucher tes
cheveux?

ANDRÉ
Mes cheveux? Oui... si tu veux.

> *Steve touche doucement les cheveux de*
> *son père.*

STEVE
Assis-toi..

> *André est tenté de poser une question,*
> *mais il se ravise et s'assoit docilement.*
> *Steve caresse ses cheveux tendrement,*
> *debout derrière lui. Puis, il se penche et*
> *les sent. Il ferme les yeux un instant,*
> *bouleversé.*

STEVE
Écoute, j'vas t'faire un cadeau: quand tu sauras
pus qui t'es, quand ça va faire longtemps que
t'auras pas faite de découverte, quand le soir va
être noir pis l'ciel vide, pas d'lune, pas rien.
Quand y aura personne dans ta maison, pas de
femme dans tes draps, quand tu vas te
demander si t'as toute raté ou ben si y a une
lueur d'espoir queque part, si l'échec total c'est
ta vie ou celle des autres, quand tu sauras pus si
queque chose vaut la peine, même un soupir,
même un sourire, quand tu sauras pus rien...
pense à moi. Pense à moi quand j'avais quatre
ans sur tes épaules, qu'y avait un vent chaud
d'été, pense que tu m'as protégé c'jour-là et
que, rien qu'pour c'te jour-là, rien qu'pour ces
heures-là où tes mains tenaient mes pieds où ta
tête était douce et chaude, rien qu'pour ça t'es
t'une merveille pour quelqu'un pour toujours.

T'as p'tête rien qu'faite des erreurs après, on s'en sacre toué deux, on s'en fiche. T'as réussi ça: t'as donné l'goût du vent pis du ciel à un p'tit enfant, ton enfant. Même si tu l'as jamais vu voler, c'est pas grave. Même si tu pourras jamais seulement croire qu'y vole, c'est pas grave. Tu tenais ses pieds dans tes mains, y était sur tes épaules comme un roi pis y respirait tes cheveux en ayant l'impression de tenir le monde entier dans ses mains. C'est ça qu'tu y as donné. Ça fait qu'y t'dit merci, pis oui, c't'enfant-là a eu un père. Pas longtemps, c'est vrai. Pas tout l'temps, c'est vrai, mais y a tenu sa tête dans ses mains assez longtemps pour apprendre qu'y avait des mains et qu'y existait des choses douces à toucher. J't'en prie, j't'en prie, oublie-le pas, oublie-le pus jamais. Parce que j'pourrai pas revenir te l'dire. Salut, mon père.

Il se penche, embrasse les cheveux de son père et s'en va.

André reste là, les bras serrés contre lui-même, bouleversé.

L'éclairage baisse.

FIN

Marie Laberge

Le Faucon

Dossier

À la création montréalaise de la pièce, le 30 octobre 1991, c'est Marie Laberge elle-même qui signait la mise en scène. Elle nous livre dans ce texte ses réflexions sur le double point de vue d'auteure et de metteure en scène.

NOTE DE L'ÉDITEUR.

Dossier

J'ai l'habitude de dire que lorsque je fais la mise en scène d'un de mes textes, l'auteure est morte. Ça a l'air brutal, passablement schizophrène, mais c'est comme ça. Et ce n'est pas une pirouette, c'est un fait. À mon avis, les deux démarches de création sont totalement différentes, elles ne requièrent ni les mêmes qualités, ni la même disposition d'esprit.

Écrire, pour moi, c'est se perdre, s'abandonner, renoncer à se protéger, s'exposer et épuiser une sorte d'élan intérieur qui s'impose.

Mettre en scène, c'est contrôler un texte, l'analyser, le fouiller, le presser, jouer avec lui pour en exalter le sens et les sens, organiser l'extérieur pour qu'il témoigne de l'intérieur.

Écrire est totalement et infiniment solitaire. Rien ni personne ne peut nous venir en aide.

Mettre en scène est une démarche qui exige avant tout des rapports, de la complicité, des échanges. Rien ne peut fonctionner si on ne travaille pas en collégialité avec les autres créateurs. Même si le metteur en scène oriente le sens qu'il veut donner à la représentation, il ne peut le faire sans l'apport créateur de toute l'équipe qui nuance et module ce sens (je parle de l'interprétation mais aussi de tous les autres apports: décor, éclairages, costumes, musique, accessoires, etc.).

Écrire, c'est partir seul pour une contrée étrangère dont on ignore la langue mais dont on pressent avoir une connaissance interne.

Mettre en scène, c'est avoir appris la langue et partager sa culture avec celle du pays visité.

Écrire a tout à voir avec l'être, mettre en scène tient de l'organisation du paraître de l'être.

Je n'ai pas d'échelle de valeur, de termes de comparaison, les deux métiers sont essentiels, mais chacun a son axe. Écrire se dirige vers soi, vers ses profondeurs intimes et parfois insoupçonnées. Mettre en scène s'oriente résolument vers les autres, organisant la connaissance intime d'un auteur et de son propos par le public en stimulant et en utilisant toute la force et les ressources des autres créateurs.

Écrire est de l'ordre du privé, mettre en scène de l'ordre du public.

Écrire en se souciant de ce que le public va penser est suicidaire et mettre en scène en ignorant le public est tout aussi dangereux. Au départ, l'auteur doit s'obliger à creuser son obsession à travers l'écriture, sans concession, sans compromis, je dirais même sans souci de ce qu'on risque d'en dire. Une fois cela fait, une fois le gros œuvre achevé, l'auteur termine la pièce, la peaufine, en accentue ou en atténue les contours, reprend certaines répliques et réajuste tout ce qui manque d'impact.

En ce qui me concerne, lorsqu'une pièce est soumise à la lecture d'un directeur de théâtre, lorsqu'elle sort de chez moi, je la considère terminée. Je veux dire par là qu'elle a subi

toutes les étapes de l'écriture. Je l'ai relue, réé-
valuée, corrigée, fait lire, je l'ai laissée se repo-
ser, je me suis reposée d'elle, l'ai reprise, en ai
interrogé le moindre sursaut de dialogue. Elle
est finie, avec ses défauts et ses qualités, ses
faiblesses et ses forces, elle est finie. Je ne sais
jamais ce que ça vaut, mais je sais toujours
quand j'ai fini. Quand on arrive à l'étape finale,
qui est celle de la production, je sais que la
pièce est arrivée à son but et que mes doutes
d'auteure dramatique ne peuvent plus, à partir
de là, que nuire à ce qui a été conçu dans la
liberté. Il y a un moment où les questions ne
sont plus celles de l'auteure, ce sont celles des
autres créateurs. Et leurs réponses ne seront
pas dans l'écriture du texte, mais dans celle du
spectacle. Je veux dire que corriger une pièce
sous l'influence d'un doute ou d'une inquiétude ou même d'une incompréhension ou
d'une méconnaissance de la part du metteur en
scène peut affaiblir ce qui était fort. Cela peut-
il renforcer ce qui était faible? J'en doute
puisque l'écriture ne proviendra pas du même
puits intérieur, puisque les délais de la production empêchent l'auteur de redescendre
dans ses fonds intimes. Voilà pourquoi il faut
que l'auteure que je suis n'intervienne dans la
production que par l'intermédiaire du texte
écrit. Voilà pourquoi la metteure en scène que
je suis également ne demande rien à l'auteure
pendant la production, sauf de se tenir tranquille et d'attendre en silence que j'aie terminé
mon travail sur sa pièce.

Enfin, je ne crois pas qu'un auteur soit mieux
placé qu'un autre pour mettre en scène son
texte, ni moins bien placé. On dit souvent
qu'un recul est nécessaire pour bien approcher
une œuvre (j'emploie les deux termes à

dessein). Je crois que la valeur d'une démarche artistique est toujours tributaire des visions personnelles d'un créateur, des parentés qu'il éprouve avec l'objet de sa création et même des attirances secrètes. Être très proche ou très amoureux d'un texte ne peut pas nécessairement en amoindrir la représentation scénique. Être bouleversé sans raison apparente par un texte n'en rendra pas nécessairement la mise en scène confuse. Le fameux recul n'est pas la seule façon critique d'aborder un texte. Il est certain qu'une admiration sans bornes, confuse, ne servira pas un metteur en scène, de la même façon qu'une froide analyse risque de le laisser insensible à certains aspects de la pièce. Il y a mille façons de considérer un texte à mettre en scène, c'est d'ailleurs ce qui fait l'intérêt de la chose et la nécessité des différentes mises en scène. C'est aussi ce qui en fait le plaisir pour le public.

L'ESPACE, LE DÉCOR

Quand est venu le temps de discuter scénographie avec Martin Ferland (créateur du décor), une seule chose s'imposait à moi: le mur. Autant je souhaitais sa présence au début, autant je désirais le voir disparaître à la fin. Et ce, malgré que Marie Laberge l'auteure n'en fasse jamais mention dans le texte. C'était plus fort que moi et plus puissant que tout le reste: ce mur massif, solide, omniprésent, ce mur d'emprisonnement qui limitait les mouvements, l'horizon, qui bloquait toute évasion visuelle, toute perspective profonde, ce mur je le voyais toujours s'effondrer, s'effacer, presque se dissoudre sous nos yeux. Beau contrat pour Martin!

Nous avons discuté, essayé de voir comment une telle chose pouvait être possible. Quel genre d'univers je désirais au début: un réalisme détaillé, un symbolisme suggéré, une cage alliant la prison à la métaphore du faucon? Martin tentait de me suggérer ce que le texte indiquait, je tentais de lui transmettre la vision que j'en avais. Un mur franc, reconnaissable parce que réaliste, sans interprétation symbolique, mais seulement cela. Le mur, à lui seul, apportait toute la composante réaliste du lieu d'enfermement (qui n'était pas une prison) où était retenu Steve. Tout le reste pouvait être intemporel, non-réaliste, bref, théâtral. Le problème que pouvait poser le mur sans accessoires, sans référence visuelle d'un intérieur ne me tracassait pas. On pouvait être n'importe où, ce ne devait être ni sordide, ni chaleureux mais plutôt un lieu de transition sec, aux lignes dures, précises, rigides, sans aucun flou. Un seul mur et non pas trois qui auraient créé l'idée de prison, d'encerclement, de piège. Un mur plein qui, tel que c'est inscrit dans la description du décor, est ouvert aux deux extrémités.

Martin est revenu avec des dessins, des propositions de mur. Sur ce qui me semblait la plus inspirante (impression qui reste parfaitement subjective) il y avait un mur et un plafond. Le mur semblait se prolonger dans le sol qui était recouvert d'une matière miroitante et qui permettait de créer un ensemble terriblement «claustrophobant». L'ouverture de scène de la salle Jean-Duceppe est extrêmement large, ce qui constitue un des défis de cette salle pour un scénographe. Martin avait habillé l'arrière-scène et les côtés de la scène de matières souples, fluides presque, genre de tulles mouvants qui accusaient la rigidité de l'univers où se trouvait Steve (celui du mur où l'action se passait) et suggéraient l'idée d'un autre univers dont la pièce témoignait sans jamais le donner à voir: celui de l'enfance, de l'amour, celui du coeur.

J'aimais beaucoup l'opposition des deux univers, je la croyais importante comme Martin, mais le tulle me gênait: il faisait trop «théâtre», un peu trop symbolique pour moi et je restais toujours accrochée à l'idée que le second univers devait se révéler par l'abolition du mur, sa disparition. Nous avons alors cherché comment y arriver. En faisant glisser le mur sur le côté, en le levant ou en l'enfonçant peu à peu dans la scène? En le manipulant petit à petit tout le long de la pièce ou en en faisant un «momentum»? Je passe sur bien des idées saugrenues, des discussions pour en arriver au concept finalement retenu et qui me semble, bien sûr, rallier tous les principes régissant l'interprétation de la pièce. Il faut également noter qu'à partir d'un certain point, les discussions se faisaient à quatre: étaient venus se joindre à Martin et à moi le concepteur d'éclairages, Luc Prairie, et la conceptrice des costumes, Anne Duceppe.

Dans le concept finalement retenu, le décor est constitué du mur, placé au centre du plateau et dégagé des deux côtés (ce qui est accusé par le plancher de plexiglas qui, de part et d'autre, excède la surface du mur). Le mur a trois pieds d'épaisseur, dix-huit pieds de haut, d'une texture s'approchant de l'apparence de blocs de ciment gris, et une grille vient s'y adjoindre en angle au plafond, laissant passer l'éclairage à travers ses interstices. Le plateau est fermé visuellement sur sa largeur par des rideaux sur rails qui, peu à peu, s'ouvriront lattéralement pendant la représentation. Le plancher est fait d'une surface polie (du plexiglas dont une face est enduite d'un papier réfléchissant), miroir répétant le mur et la grille, donc amplifiant la sensation d'être pris, en réclusion. Tous les éclairages du début seront pensés en fonction d'une certaine rigidité, de zones dures, sans effets adoucissants et sans débordements sur d'autres surfaces que celle de l'aire de jeu. Ils seront presque tous issus de la grille, «plombant» durement l'aire de jeu au début et utilisant l'effet réfléchissant du sol. Peu à peu, l'éclairage envahira l'autre espace, le laissera deviner, le révélera confusément.

La deuxième dimension de la pièce est suggérée par ce qui se trouve derrière le mur. D'abord, le plancher de miroir continue derrière le mur et un tulle[1] noir traverse toute la largeur de la scène à environ huit pieds derrière celui-ci. Ce tulle laissera deviner, selon les éclairages un espace mouvant de tiges de roseaux ou de blé pouvant atteindre jusqu'à douze pieds de haut et s'étendant sur toute la largeur du plateau jusqu'à un cyclo[2] qui ferme

---

1. Un tulle est une pièce de tissu qui a l'avantage d'occulter ou de montrer ce qui se trouve derrière selon l'éclairage qu'on lui donne: éclairé par devant cela devient presque un mur sombre, sans transparence, éclairé par derrière à 100%, il révèle parfaitement tout ce qu'il cachait. On peut varier l'intensité d'éclairage et donner à voir plus ou moins distinctement ce qui se trouve derrière le tulle.

2. Un cyclo (cyclorama) est une pièce de tissu, généralement sans aucune couture apparente, qui ferme le fond de la scène en étant tendu. C'est une surface qui permet de réfléchir la lumière et de créer une illusion d'espace au fond de la scène. Ici, c'est un espace «ciel».

le tout. Ce champ de blé doré évoquant toute l'enfance perdue et tout ce qui est chaleur et douceur dans le passé de Steve sera perçu sans être franchement exploité pendant une bonne partie de la pièce grâce à des éclairages appropriés. À la disparition du tulle vers la fin, le champ deviendra plus perceptible, plus présent sans être encore franchement net. Ensuite, le mur, dernier obstacle empêchant le spectateur de voir la dimension cachée du décor, se soulèvera lorsque Steve aura dit adieu à son père et qu'il «s'échappera» du lieu où on le tenait enfermé. Alors seulement Steve marchera vers le fond de la scène et disparaîtra dans ce champ, comme si le mur pouvait être aboli par sa seule volonté. Comme si les prisons se trouvaient davantage au fond de nous qu'à l'extérieur. Le mur s'élèvera assez rapidement dès que Steve, tournant le dos à son père, se dirigera vers la sortie. Tout ce processus de mise en évidence de la dimension cachée du décor, la dimension de l'enfance cachée derrière le mur, le tulle et les rideaux sur rail latéraux, sera rythmé et effectué avec des éclairages appropriés qui passeront alors à des tonalités très chaudes. Le choix de faire se soulever le mur au lieu de l'enfoncer dans le plancher de la scène s'imposait à Martin pour préserver une idée de légèreté, de liberté même, et pour éviter un effet d'écrasement qui aurait été en contradiction avec la sensation de libération que je désirais à tout prix pour la finale. Martin, en privilégiant l'élévation du mur, obligeait le spectateur à lever les yeux et dirigeait son regard dans un axe totalement différent.

Ce décor a l'immense avantage d'exploiter les deux aspects fondamentaux de la pièce: d'abord le lieu clos, rigide, sans issue qui se

découpe plutôt verticalement dans un espace
étroit et dans des tonalités monochromes et
ensuite l'univers onirique, fortement marqué
émotivement par le passé de Steve qui, lui, se
découpe horizontalement et en pleine largeur
de l'espace scénique dans des tonalités chaudes. Entre ces deux extrêmes visuels, les
éclairages de Luc Prairie permettront de deviner peu à peu que, derrière le mur, se cache
une autre dimension. On passera lentement
d'un éclairage cerné, restreint et volontaire-
ment dur à un éclairage qui laisse percevoir une
profondeur scénique sans la rendre franchement nette. Ainsi, l'axe de vision qui au début
est orienté de haut en bas dans un ruban visuel
assez mince s'élargira à la montée du mur et
sera pratiquement inversé, passant du rapport
vertical au «panoramique». Ces deux valeurs
d'espace (verticale-étroite et horizontale-large)
seront évoquées en alternance tout le long de la
pièce lorsque l'éclairage laissera deviner une
autre dimension derrière le tulle, une profondeur cachée, mais elles ne seront jamais clairement renversées avant la montée du mur.

Parce que pour moi cette pièce n'est pas que le
récit d'un adolescent poursuivi et questionné,
c'est aussi le constat du temps que prend la
réconciliation avec soi et avec les blessures du
passé qui cessent alors de nous lacérer. Je crois
que la sensation d'enfermement peut provenir
autant de cette soumission aux fantômes du
passé que des murs réels d'un centre dit d'«accueil». Voilà pourquoi le mur n'est jamais totalement clos. Dans *Le Faucon* la reconduction
des espoirs déçus en fantasmes inutiles et
affaiblissants empêche l'être humain d'atteindre l'âge adulte qui serait, à mon avis, l'âge de
la capacité d'aimer en toute lucidité.

À cet égard, le père est celui qui, n'ayant jamais renoncé aux rêves mettant en vedette le fils aimé mais absent, désiré mais tenu à l'écart, performant mais jamais mesuré au réel, le père avec ses espoirs démesurés, ses fantasmes impossibles, est celui qui demeure en prison, c'est-à-dire visuellement, dos au champ de blé et face à lui-même, c'est-à-dire au miroir (sol). Le père est probablement celui qui a mis le plus de temps à se rendre compte de ce qu'il a fait de sa vie, de l'ampleur de ses déceptions et de celle de ses attentes, qu'elles soient réalisables ou non.

Aline, l'autre adulte de cette pièce est celle grâce à qui la transition se fait, celle qui travaille à libérer Steve en lui révélant la vérité, seule arme véritable des êtres libres. Elle reconnaît l'adulte dans l'adolescent et prend le risque énorme de déroger aux règles établies pour permettre à un être d'exception de s'affranchir de son passé. Aline a le don de la générosité. Revenue de ses déceptions, elle n'a rien de la «sœur» comme l'entend Steve. La seule trace de son passé, en fait, est une lucidité assez critique. Entre elle et Steve une alchimie parfaite se produit, chacun reconnaissant dans l'autre un aspect demeuré à l'état sauvage en lui-même. Ils sont de la même race. Aline protégera le faucon mais, contrairement aux fauconniers, elle ne lui demandera jamais de chasser pour elle.

LA MÉTAPHORE DU FAUCON

Cette présence du faucon, non seulement dans le titre mais à travers les indices que donne Steve à Aline, me semblait assez forte en elle-même pour ne pas que je cherche à l'amplifier dans la mise en scène par un système de signes qui, à mon avis, aurait réduit le sens au lieu de le laisser ouvert.

Le faucon, dans sa dimension symbolique d'espèce à protéger, à préserver, d'espèce en voie de disparition, peut servir tous les personnages qui sont en relation de «sauvetage», que celui-ci soit espéré ou réel.

Dans cette perspective, le faucon peut être Steve pour Aline et Frédéric pour Steve. Il peut même être Steve pour André ou André pour Steve (à la fin seulement). Et si on pousse plus loin le raisonnement de cette symbolique, Frédéric a cherché à protéger Steve en protégeant les faucons réels, puisque Steve est l'initiateur de son amour pour les oiseaux. Empêcher de tuer les faucons pour Frédéric devenait le prolongement de l'amour qu'il porte à Steve.

Si on considère le faucon dans sa dimension de fragilité et de demande de protection, alors il représente chacun des personnages. Il m'est arrivé de privilégier des déplacements quelquefois plus ritualisés que ce que les didascalies demandaient, par exemple en faisant reprendre par Aline les marches en «Z» de Steve et par André les va-et-vient continuels dans le sens du mur ou dans celui de l'espace d'enfermement. Ces répétitions des gestes de Steve par les autres rendaient plus nette cette métaphore du faucon applicable à chacun des personnages. Steve n'apparaît plus alors comme le seul personnage enfermé, et chacun témoigne d'une certaine réclusion (qui n'est plus physique mais plutôt morale).

Il m'est arrivé également de ne pas appliquer à la lettre une didascalie. L'auteure a indiqué des mouvements qui, joués sur une scène très large

et devant un public de 800 personnes, ris-
quaient d'être invisibles ou alors mal inter-
prétés.

Disons-le tout de suite: le décor de Martin s'est
révélé un allié extraordinaire pour donner de la
dimension à des gestes qui auraient pu paraître
insignifiants sans cela. Par exemple, en page 54,
la didascalie suivante: *il roule une orange vers
elle, tendancieusement, pour la séduire*, risquait
de s'incarner bien pauvrement sur une scène
de 56 pieds d'ouverture. L'orange me semblait
bien petite... Grâce au plancher de miroir sur
lequel roule l'orange et grâce à un éclairage de
face qui, jouant avec la réflexion, projette
l'ombre amplifiée des protagonistes sur le mur,
le geste de Steve est non seulement«agrandi»
par l'ombre, mais «doublé» dans la réflexion du
sol. À ce moment-là, j'obtenais ce qui me semblait être le but poursuivi par l'auteure, avec en
plus une dimension esthétique indéniable.

J'ai dû renoncer à certaines didascalies qui me
semblaient mal jouer avec les composantes du
lieu. Ainsi, le rituel de la scène 2 a été adapté au
décor (miroir-mur) et j'ai choisi de ne pas
appliquer à la lettre le jeu proposé (nombre de
pas et mouvements de tête) pour obéir plutôt à
l'esprit de la didascalie: *il semble se livrer à un
jeu très personnel, très secret.*

Cette «désobéissance» me semblait rendue
nécessaire par les dimensions de l'espace. De la
même manière qu'un petit théâtre ne permet
pas l'évélation d'un mur à une certaine hauteur, la salle Jean-Duceppe ne permettait pas
l'approche miniaturisée, et les gestes suggérés
par l'auteure pour incarner le jeu attachaient
Steve au mur et m'empêchaient de jouer avec
toute la force visuelle du décor.

Je ne me sens jamais tenue d'obéir aux didascalies. Mais je me sens toujours liée à l'esprit ou au sens qu'elles suggèrent. Comme auteure, je m'attends toujours à entendre *tout* le texte, mais jamais à voir tous les gestes suggérés. Il m'est arrivé d'écrire un mouvement et de voir dans une mise en scène l'esprit du mouvement mille fois amplifié par un travail de mise en scène particulièrement judicieux (je pense à *C'était avant la guerre à l'Anse à Gilles* dans la mise en scène de Pintal, où la scène de peinture était devenue une caresse échangée à travers le panneau de l'armoire). L'inverse est tout aussi possible. Il arrive qu'une mise en scène vide le sens d'une scène en la détaillant trop, en l'expliquant ou en la réduisant. Ce qui est certain, c'est que, lorsque j'écris une scène et que j'indique un geste, celui-ci est porteur de sens. Je dois avouer que je n'aime pas écrire les didascalies: elles sont toujours un mauvais moment pour moi, elles interrompent le fil du dialogue et, si j'en écris une, c'est qu'elle s'impose et sert à clarifier ce qui pourrait être confus ou mal interprété. Mais l'auteure n'espère rien d'autre que la didascalie vienne éclairer le moment théâtral qui sera créé. Je n'attends pas la scolaire application, mais une interprétation qui amène une plus profonde compréhension du texte par le public... et un résultat théâtral plus percutant.

Comme metteure en scène, je ne m'applique à rien d'autre qu'à comprendre le sens de l'indication, à le fouiller et à tenter de le rendre. Quelquefois, c'est grâce au geste tel qu'il est suggéré, quelquefois c'est par une interprétation de ce geste. À ce chapitre, j'avoue que l'auteure que je suis prête probablement main forte à la metteure en scène en lui livrant avec

la pièce toute la connaissance intime des fon-
dements du texte. Je dirais que certaines
répliques me semblent limpides parce qu'elles
trouvent un écho extraordinaire en moi et que,
à ce moment-là, je profite honteusement de ma
parenté avec l'auteure.

Pour en revenir à la métaphore du faucon, je
crois (en tant qu'auteure) que je devrais en
avoir suffisamment infiltré le texte pour pallier
tout désintérêt potentiel d'un metteur en scène
pour la fauconnerie. J'espère avoir tricoté mon
texte assez serré pour que la métaphore
apparaisse quel que soit le traitement scénique
donné au texte. Et j'espère aussi que les relations humaines que la métaphore doit servir à
illustrer ne seront pas sacrifiées à la mise en
valeur d'une science de la fauconnerie. Parce
que l'ennui avec une symbolique, c'est qu'elle
peut occulter au lieu d'éclairer, comme on l'es-
pérait.

En ce sens, la métaphore du faucon peut s'avé-
rer dangereuse. On pourrait se contenter
d'illustrer le symbole et de s'en tenir là.

J'ai cherché dans ma mise en scène à montrer
en quoi Steve est exceptionnel et rare, et cela
toujours grâce à la métaphore qui, cette fois,
s'applique à la race du faucon et non à l'espèce
en voie de disparition qui demande protection.

Parce que le faucon est également un oiseau de
proie, un oiseau rare, pas du tout anodin. C'est
un oiseau royal, l'oiseau des princes. Posséder
un faucon, le faire chasser pour soi était un
privilège nobiliaire.

Longtemps on a capturé les faucons pour leur
remarquable aptitude à chasser. Ce rapace, le
plus rapide et le plus efficace des oiseaux de

proie, était vendu très cher et il doit à ses qualités d'avoir presque disparu. Un faucon ne chasse jamais volontiers pour un maître. Une fois pris, le faucon n'est jamais possédé. Il ne se résigne pas, ne s'aliène pas, ne s'apprivoise pas: il se dompte, mais ne se soumet pas. C'est un animal libre même au cœur de la captivité. En cela, le seul faucon de la pièce est Steve qui, même emprisonné, même menacé, ne se soumet pas. Et le seul vrai fauconnier de la pièce, celui qui tente d'établir un contact avec le faucon, est Aline. Pour dresser un faucon, il faut de la patience, de la sensibilité et de la persévérance. Aline possède en plus envers Steve cette fascination que semble commander toute relation avec les oiseaux de race. Certaines scènes sont clairement des scènes d'approche (le café et les biscuits, le bruit des pas qui s'arrêtent, l'orange à faire «dépecer» par Steve) et la mise en scène va dans ce sens.

Il n'existe aucun moyen de contrainte contre le faucon. Celui qui veut le voir chasser pour lui un jour doit s'armer de patience et de douceur. Le faucon résiste longtemps, et ce n'est que contraint par la fatigue (on empêchait le faucon de dormir), la faim (on le soumettait à un jeûne prolongé) et l'aveuglement (l'oiseau était «cillé»: on passait un fil à travers sa paupière pour l'obliger à orienter sa vision et à ne regarder que vers le haut) qu'il en venait à chasser pour autrui. Et encore n'est-il l'esclave de personne. Il garde sa liberté même au coeur de la captivité et personne ne peut le «casser». Une des seules façons de dresser un faucon est d'y aller lentement, patiemment, sans geste brusque, sans cri, sans affolement... un peu comme Aline avec Steve.

Dans ma mise en scène, j'ai tenté d'inscrire le rythme, la tension et les mouvements qui indiquent l'état des relations (la crainte de Steve, la patience d'Aline, l'entente qui, peu à peu, se créée) entre le faucon et son fauconnier.

Mais même si on peut déceler des éléments de fauconnerie ou des attitudes liées au comportement du faucon dans la mise en scène, je ne tenais pas à en faire l'axe majeur de mon travail. De la même façon que la pièce me semble davantage inspirée par certains aspects de la fauconnerie plutôt qu'être une mise en application minutieuse de la science des faucons, ma mise en scène témoigne de cet aspect sans tout faire tourner autour de la métaphore. Il ne faut donc pas chercher en quoi les déplacements de Steve sont directement ou non liés à un comportement de faucon, ce serait à mon avis réduire ce qu'est Steve à l'allégorie du faucon. Cette pièce me semblait traiter de personnes plus que de symboles, et c'est cela que j'ai privilégié.

Steve demeure donc un jeune adulte de dix-sept ans, prostré au début, enfermé par la justice et déterminé à demeurer silencieux, à ne rien révéler de lui-même. Mais Steve est un être humain chaleureux, sensible, et Aline est une femme intègre qui l'approche avec une curiosité plus large que l'objet de sa recherche, c'est-à-dire savoir s'il a tué son père, pourquoi et comment. Aline veut aider Steve au sens strict du terme pour la bonne raison qu'il lui semble digne de l'être. Aline éprouve probablement l'envie de permettre à un être rare de continuer à vivre et de le faire librement. Un être qui a été abîmé, blessé, mais qui n'en a pas perdu pour autant sa fragilité et son humanité.

Je ne sais pas si l'auteure sera contente de ma mise en scène; j'espère que, le soir de la première, l'auteure qui se tait présentement en moi reconnaîtra sa pièce et ses émotions. Steve dit qu'il ne ressuscite personne. Moi, j'aime bien l'idée de ressusciter l'auteure.

Marie Laberge
septembre 1991

Typographie et mise en pages:
les Éditions du Boréal

Achevé d'imprimer en octobre 1991
sur les presses des Ateliers
Graphiques Marc Veilleux
à Cap-Saint-Ignace